Apaixonando-se por seu Marido

Debra White Smith

Apaixonando-se por seu Marido

Desfrutando Juntos uma Vida Prazerosa

Tradução: Ercília Martelo Micas

9ª Impressão

Rio de Janeiro
2023

Todos os direitos reservados. Copyright © 2005 para a língua portuguesa da Casa Publicadora das Assembleias de Deus. Aprovado pelo Conselho de Doutrina.

É proibida a duplicação ou reprodução deste volume, no todo ou em parte, sob quaisquer formas ou meios (eletrônico, mecânico, gravação, fotocópia, distribuição na web e outros), sem permissão expressa da Editora.

Título do original em inglês: *Romancing your Husband*
Moody Press, Chicago, Illinois, EUA
Primeira edição em inglês: 2002
Tradução: Ercília Martelo Micas

Preparação dos originais: Luciana Alves
Revisão: Alexandre Coelho
Adaptação de capa e projeto gráfico: Leonardo Marinho

CDD: 243 - Família
ISBN:

As citações bíblicas foram extraídas da versão Almeida Revista e Corrigida, edição de 1995, da Sociedade Bíblica do Brasil, salvo indicação em contrário.

Para maiores informações sobre livros, revistas, periódicos e os últimos lançamentos da CPAD, visite nosso site: https://www.cpad.com.br.

SAC — Serviço de Atendimento ao Cliente: 0800-021-7373

Casa Publicadora das Assembleias de Deus
Av. Brasil, 34.401, Bangu, Rio de Janeiro – RJ
CEP 21.852-002

9ª impressão: Janeiro 2023
Impresso no Brasil
Tiragem: 300

Dedicatória

Ao meu marido...

Daniel, já passamos por muitas coisas juntos. Temos enfrentado lutas e crescido juntos. À medida que vamos amadurecendo, tanto como indivíduos quanto no nosso relacionamento, jamais se esqueça de que, embora meu primeiro objetivo seja agradar a Deus, o segundo é agradar a você e me esforçar ao máximo para fazê-lo imensamente feliz.

Obrigada por todos os anos que já se passaram, e obrigada, antecipadamente, pelos que ainda virão. Você é meu amante, meu melhor amigo, meu herói, meu confidente. Eu vou te amar para sempre!

Prefácio

Debra e eu já estamos casados há vinte anos. Durante esse tempo, passamos alguns maus momentos, mas ela sempre esteve ao meu lado. Em virtude disso, nunca me senti realmente tentado a olhar para outra mulher. É claro que percebo os rostos bonitos; qual é o homem que não nota? No entanto, há sempre algo que me dá força para desviar o olhar: a certeza de que a melhor de todas está em casa. Então, por que perder meu tempo com outra?

Um dia desses, estava conversando com alguns amigos e alguém levantou a questão sobre o sexo (na maioria das vezes, os maridos não comentam sua vida sexual, mas somos muito bons amigos). Eles, basicamente, afirmaram que, depois de algum tempo, o marido pode esquecer esse assunto de sexo. Mencionei que não tinha do que me queixar, porque minha mulher cuida de mim. Todos ficaram impressionados. Não disse mais nada, porém fiquei me perguntando se as outras esposas sabem como o sexo é importante para os seus maridos. Um homem satisfeito se sente capaz de conquistar o mundo. Entretanto, um homem insatisfeito nessa área perde a confiança em si mesmo.

Sou um homem comum: me levanto e vou trabalhar todos os dias. Em vários aspectos, sou provavelmente como qualquer marido. Também continuo apaixonado pela minha mulher. Quando vejo Debra, começo a sorrir só de lembrar o que ela faz por mim. Talvez você considere algumas de suas idéias extravagantes, mas quero encorajá-la a experimentar todas. Seu marido vai agradecer-lhe muito por isso... e você colherá os benefícios. Por favor, aceite a palavra de um homem normal: o que está escrito neste livro é verdade. *Funciona mesmo!*

Amo muito minha esposa. A razão pela qual, na minha opinião, ela é a melhor não é porque tenha a perfeição de uma modelo. Eu também não tenho. É porque Debra dá o melhor de si para me satisfazer. Nunca sei o que ela é capaz de inventar para nos aproximar ainda mais. E gosto disso demasiadamente. A vida é muito maravilhosa quando se é casado com uma mulher assim!

Daniel W. Smith

Sumário

Dedicatória 5

Prefácio 7

Ah, o Poder do Amor! 11

1. A Rainha do Romance 13

2. Um Caminho ainda mais Excelente 27

3. Liberdade e Graça 43

4. O Segredo do Amor 61

5. Comunicação e Sexo 81

6. O Cônjuge Controlador 97

7. Sobrevivendo às Tempestades 115

8. A Estrada do Perdão 135

9. Encontros Românticos 151

10. A Sintonia do Coração 173

Notas 215

Ah, o Poder do Amor!

IMAGINE QUE VOCÊ ESTÁ NUMA FILA esperando para andar na mais fantástica e eletrizante montanha russa. Antes de subir no carrinho, você vê uma placa dizendo: "Segure-se! Esta corrida é cheia de voltas, curvas e excitação!" Esta é exatamente a situação em que você se encontra agora — à beira de um eletrizante e inacreditável caso de amor com seu marido! Quer esteja casada há 2, 20 ou 40 anos, a chama da paixão pode ser mais brilhante e mais quente se você aplicar as idéias e sugestões contidas neste livro.

Talvez esteja pensando: "Mas, Debra, já é muito tarde para o meu casamento". Não se surpreenda com o que Deus pode — e vai fazer! A especialidade dEle é curar os corações partidos, libertar os cativos e transformar relacionamentos desgastados em alegres refúgios cheios de amor, felicidade e compromisso. Ao embarcar nesta nova aventura, você descobrirá princípios bíblicos e interessantes conclusões que revolucionarão seu casamento.

E não é só isso! Durante esta fantástica jornada, chegará um momento em que seu marido irá perguntar com carinho: "E agora? O que posso fazer por *você*?" Quando isso acontecer, entregue-lhe este livro e peça-lhe para ler os capítulos 2 e 4–8. Já sei o que está pensando: "Debra, meu marido nunca vai perguntar se pode fazer alguma coisa para me agradar?" Todavia, lhe digo que, se você aplicar o que este livro ensina, de forma radical e sem medo, seu marido provavelmente ficará tão maravilhado que é impossível dizer o que ele será capaz de fazer por você. Se não atender a seu pedido para que leia este livro logo na primeira vez, não se desespere. Com amplas doses de amor, doçura e humildade, espere até que pergunte de novo o que gostaria que ele fizesse para agradar-lhe. Então, repita o pedido para que leia esses capítulos.

Lembre-se, quando você aplicar os conceitos apresentados neste livro, seu casamento com certeza explodirá com a manifestação do amor incondicional de Deus — um amor eterno, feito da mesma matéria que os sonhos. A essa altura, você e seu marido estarão procurando sempre uma nova maneira de servir um ao outro. Por que tenho tanta certeza disso? Porque foi exatamente o que aconteceu com o meu casamento. E os princípios contidos neste livro foram testados por outras mulheres, além de mim. Os resultados foram miraculosos! A jornada pode levar algum tempo, talvez um ano ou mais, porém continue firme, mesmo que a chama desse amor deslumbrante não se acenda de uma hora para a outra. Praticar esses princípios românticos pode transformar seu casamento num pedacinho do céu na terra.

Você está pronta? Esta é uma jornada fascinante e empolgante... Uma jornada que transformará sua vida e dará testemunho a este mundo agonizante de que os casamentos cristãos são os mais surpreendentes do planeta!

A serviço de Cristo,

Debra White Smith

1
A Rainha do Romance

Portanto, tudo o que vós quereis
que os homens vos façam, fazei-lho também vós,
porque esta é a lei e os profetas.

MATEUS 7.12

UM RELACIONAMENTO MATRIMONIAL DURADOURO, cheio de romance, excitação e surpresas é difícil de encontrar. O casal típico geralmente se encontra, casa-se e fica em lua-de-mel por uns dois anos — se tiverem sorte. Nos primeiros anos, o romantismo é grande e a chama do amor arde com toda a força. Mas as preocupações da vida, o estresse de cuidar dos filhos e a familiaridade que se adquire pelo fato de olhar o mesmo cônjuge ano após ano acabam cobrando o seu preço. Após algum tempo, se um dos parceiros não estiver disposto a avivar as brasas do romantismo, o casamento vai perdendo o brilho. O casal quase não namora mais e o que costumava ser uma vida sexual eletrizante vira uma tarefa rotineira. Logo, logo, aquela velha expressão entusiástica: "Oba! É você!", se transforma num suspiro desanimado seguido de um: "Ah, é só você". O número de divórcios nos Estados Unidos reflete esta situação. De acordo com o Centro Nacional de Estatísticas da Saúde, o índice de divórcios no primeiro casamento é de 41%.[1] Infelizmente, a situação não é muito diferente no caso dos casamentos cristãos.

Além disso, esta porcentagem não engloba os milhares de casamentos em que as pessoas permanecem legalmente casadas, todavia estão emocional e fisicamente divorciadas. Muitos casais são admirados porque estão juntos há muitos anos, porém, na realidade seu casamento está definhando ou já morreu. Eles transparecem estar alegres na igreja, mas seu relacionamento matrimonial já se desgastou há muito tempo. O romantismo, então, nem se fala! Quanto ao sexo, este é apenas um acontecimento ocasional. A muito custo, a esposa "cede" de vez em quando, porém o ato é um dever que ela cumpre apenas para não ser incomodada pelo marido.

Quando tinha sete anos de casada, uma amiga bem-intencionada disse-me: "Debra, após 15 anos de casamento, você pode esquecer esta história de romance". Infelizmente, isso acontece com muitas pessoas. Outra dessas pérolas de sabedoria que me disseram foi: "Não importa o quanto o relacionamento seja quente no início, a paixão um dia acaba, e é bom ter algo para pôr no lugar dela". Acredito firmemente que a paixão só morre quando o marido e a mulher *permitem* que isso aconteça, ou quando um dos dois fica tão enfermo que a sobrevivência passa a ser mais importante que o romance.

Apesar de toda a liberalidade moderna em relação ao sexo, e dos avanços da medicina, ainda temos a tendência de acreditar que um relacionamento sexual maravilhoso e revigorante, assim como o romance, só acontece durante os primeiros estágios do matrimônio. Com certeza, existe um elemento de expectativa e eletrização quando um casal está noivo e faz planos para o casamento. E é claro que essa energia aumenta muito quando o casal diz o "sim" e a lua-de-mel começa. Aqueles dias de êxtase romântico acontecem somente uma vez no casamento. Quando eles acabam, acabam mesmo. E, então, chega o momento de seguir em frente e conquistar algo mais permanente: o romantismo e o relacionamento físico emocionantes que só um compromisso duradouro pode proporcionar.

A maioria das mulheres que não têm um casamento empolgante pode dizer com facilidade que o contato sexual se resume a uma questão de relacionamento. De acordo com Gary Smalley, em seu livro *Love Is a Decision* (Amar É uma Decisão), as mulheres se preocupam com o relacionamento: "As mulheres têm um manual de casamento embutido [...]. Uma esposa é uma mina de ouro quando se trata de habilidades relacionais".[2] As mulheres têm um termômetro que monitora constantemente a temperatura da relação conjugal. Se o relacionamento vai bem, então o romance e o sexo serão excelentes. Contudo, se não vai, o romance murcha e o sexo pode ser qualquer coisa, menos prazeroso.

Em seu livro *His Needs, Her Needs* (O que Ele Precisa, o que Ela Precisa), Willard F. Harley Jr. afirma que, enquanto o que a mulher mais necessita no casamento é afeto, a primeira necessidade do marido é obter realização sexual.[3] Outra pesquisa, realizada por Gary e Barbara Rosberg, revela que a principal necessidade, tanto do marido quanto da mulher, é a de receber amor incondicional. Quanto à segunda necessidade básica, no caso dos homens é o sexo, e no das mulheres é ter intimidade emocional e comunicação.[4] Estas duas descobertas mostram que, enquanto as principais necessidades das mulheres pertencem à área emocional/relacional, as dos maridos se concentram na área física/sexual. Harley afirma, ainda, que "quando se trata de sexo e afeto, não se pode ter um sem o outro"[5] e "a esposa típica não entende a necessidade profunda que seu marido tem de sexo, assim como o marido típico também não consegue compreender por que sua mulher precisa tanto de afeto".[6]

Estou casada com o mesmo homem há 19 anos e não necessito de nenhum livro para perceber que meu marido precisa de sexo. Além do mais, cheguei à conclusão de que a diferença entre o impulso sexual do meu marido e o meu é como a diferença entre uma erupção vulcânica e um punhado de dinamite. Pelo que já li ou pude observar, posso dizer que sou uma mulher bem ardente. Porém meu marido, Daniel, disse-me que posso pegar meus momentos mais ardentes, multiplicar por dois, e então *talvez* eu saiba exatamente como ele se sente a cada dois dias, a vida inteira!

O que isto significa? Os homens precisam de sexo... e as mulheres precisam de afeto, afinidade, romance. Precisamos ser amadas, ouvir que estamos bonitas e necessitamos de demonstrações claras de afeição. Precisamos jantar à luz de velas, escapar às escondidas e conversar sinceramente. As mulheres adoram um romance.

A maior parte das mulheres diz que gostaria de que seus maridos fossem mais românticos. Por outro lado, grande parte dos homens afirma que gostaria de que suas mulheres apreciassem mais o sexo. Segundo Harley, muitos homens sentem-se sexualmente lesados por suas mulheres, enquanto muitas se sentem emocionalmente frustradas. Quando uma mulher sente-se assim, é muito comum que não consiga esquecer o fato de que seu marido não supre suas carências afetivas e, assim, ela pára de suprir as necessidades sexuais dele. Depois disso, o homem com certeza não se sente muito inclinado a dar à mulher o romance de que ela necessita, e o ciclo continua numa espiral descendente, até que o relacionamento conjugal deixa de existir em todos os níveis e ocorre o divórcio legal — ou um divórcio emocional e físico, embora o matrimônio continue intacto perante a lei. Recentemente, uma amiga contou-me a história de uma jovem mulher que disse pensar, durante o ato sexual, na lista de compras do supermercado. Minha amiga disse-lhe: "Você vai acabar ficando sem marido". Bem, foi exatamente isso que aconteceu. Ser uma esposa cristã é uma equação que envolve muitos fatores ligados ao lar e à família. Jesus Cristo entregou a si mesmo em favor de outros. Para seguirmos seu exemplo, temos de pôr de lado algumas questões e compreender as necessidades dos nossos cônjuges. Mesmo que seu marido nunca se divorcie de você, como fez o dessa mulher da história, você pode viver ano após ano e nunca experimentar esse paraíso na terra, que é o casamento segundo os planos de Deus para seus filhos.

Faça aos outros

A Regra de Ouro nos ensina a tratar o próximo da forma que queremos ser tratados, em todos os aspectos. Isto engloba todos os relacionamentos e situações — incluindo o casamento. A essência desse mandamento é despojar-nos de nossos direitos e altruisticamente nos concentrarmos nas necessidades dos outros. Esse tipo de amor não espera nada em troca, e flui de um coração voltado para o beneficiário de nossas ações. Além disso, este amor é ativo, e não passivo; positivo, e não negativo. Antes de Jesus estabelecer a Regra de Ouro em termos positivos, outros a pronunciaram de forma negativa:

> Aquilo que é detestável a você, não faça a outro (Hillel, rabino judaico, n. 60 a.C.).

> Aquilo que você não quer que lhe façam, não faça aos outros (Confúcio, n. 551 a.C.).

Aquilo que você não deseja que lhe seja feito, não faça a ninguém (Estóicos, c. 3000 a.C.).

Quando uma pessoa simplesmente evita fazer o mal aos outros, isto não significa que ela esteja fazendo o bem. Por exemplo, uma mulher pode evitar fazer o mal a seu marido enquanto ignora, passivamente, as necessidades dele, nunca lhe fazendo um favor sequer. Mas o que Jesus disse, em resumo, foi: *Se você não faz mal aos outros, simplesmente cumpriu metade da missão. Você deve fazer todo o possível para tratar cada um com tanto amor, respeito e dignidade quanto gostaria de ser tratado.* Em 1 Coríntios 13.4-8, temos a definição deste tipo de amor desinteressado: "A caridade é sofredora, é benigna; a caridade não é invejosa; a caridade não trata com leviandade, não se ensoberbece, não se porta com indecência, não busca os seus interesses, não se irrita, não suspeita mal; não folga com a injustiça, mas folga com a verdade; tudo sofre, tudo crê, tudo espera, tudo suporta. A caridade nunca falha..."

Manifestar este amor é dever de *todas* as pessoas, homens e mulheres, e abrange todas as áreas de nossa vida, incluindo aspectos como sexo e romance no casamento. A principal forma que as mulheres têm de pôr este tipo de amor desinteressado em ação é fazendo tudo o que estiver ao seu alcance para entender as necessidades de seus cônjuges. Muitas mulheres reclamam que seus maridos vivem incomodando-as, querendo sexo. "Ele só pensa nisso", é o chavão usado para diagnosticar a necessidade masculina de contato físico. Entretanto, nunca encontrei qualquer estudo que sugerisse que o homem nasce pensando assim: "Sei que acabei de nascer e tenho outras prioridades, mas quando crescer o sexo será a minha necessidade número um". Os homens não planejam ou decidem necessitar de sexo, assim como as mulheres não decidem necessitar de romance. Quando as esposas desprezam a necessidade de seus maridos por sexo, elas não estão obedecendo a Regra de Ouro, nem tampouco sendo exemplos de amor desinteressado. Além disso, estão ridicularizando-os por uma carência que Deus mesmo lhes deu. Tal atitude representa, em suma, um desprezo em relação a Deus e sua criação. Se não valorizamos as carências de nossos maridos, eles podem acabar tendo o mesmo tipo de atitude em relação a nós, no que se refere às nossas afeições pelo romantismo.

"Portanto, tudo o que vós quereis que os homens vos façam, fazei-lho também vós, porque esta é a lei e os profetas" (Mt 7.12). Esta regra se aplica muito mais do que apenas a nossa atitude em relação à necessidade de sexo de nossos maridos. A Regra de Ouro também se aplica às nossas ações. Quando seu marido fica carinhoso e faz sugestões amorosas através de toques e palavras, ele está tratando-a da mesma forma que quer ser tratado. Ele quer muito que você o deseje fisicamente e faz questão de exteriorizar seus impulsos para mostrar-lhe que de fato quer sexo. Nunca ouvi falar de um homem que se sentasse, cruzasse os braços e começasse a pensar: "Quero fazer sexo, mas ela terá de procurar-me". Não! Um marido faz sua esposa saber o que quer, de forma clara e objetiva.

Bem, isto funciona para esposas também. Se é de romance que você precisa, então derrame energias românticas no seu casamento. Em vez de pensar: *Marido, seja romântico comigo!*, por que não fazer como o seu marido: demonstre também o que você deseja. Isto fará com que deixe de ser aquela mulher que apenas quer que o marido seja romântico, e a transformará em alguém que encontra realização sendo romântica para com seu marido. Dedique-se ao romantismo de seu relacionamento conjugal tanto quanto seu marido se dedica à parte sexual. Arraste-o para um fim de semana a dois. Envie-lhe bilhetes de amor. Faça jantares à luz de velas apenas para ele. Não estou falando de planejar algo especial uma vez por ano. Muitas pessoas são capazes de fazer algo romântico no aniversário de casamento e passar durante uma semana demonstrando muitos "mimos" a seu cônjuge. Mas estou me referindo a construir uma contínua atmosfera de romance, excitação e expectativa dentro do casamento — não importa há quanto tempo você esteja casada. Este tipo de romance flui de um amor incondicional e torna-se mais profundo, rico e satisfatório à medida que os anos passam.

Quando decidi ser mais romântica com meu marido — ou seja, quando comecei a demonstrar o que queria que ele fizesse —, nossa união passou de boa a extraordinária. Daniel e eu tínhamos um sólido casamento, mesmo antes de me tornar a "rainha do romance". Tínhamos (e ainda temos) alguns problemas que precisavam ser resolvidos, e de fato tivemos momentos de conflito. Porém, acima de tudo, tínhamos um sólido compromisso um com o outro. Pelo que tenho aprendido com o passar do tempo, nossa vida sexual estava mesmo um pouco acima da média. Daniel era um marido carinhoso e atencioso, no que se refere a ocasiões especiais, mas meu sentimento de realização romântica tinha altos e baixos. Até que, finalmente, compreendi que estava esperando que ele fosse um completo Romeu, enquanto eu era apenas meia Julieta: "Minha bondade é como o mar sem fim, meu amor tão profundo quanto ele. Quanto mais te dou, mais tenho, pois ambos são infinitos" (Julieta, em *Romeu e Julieta,* Shakespeare).

Faça Acontecer
A frase de Julieta — "Quanto mais te dou, mais tenho" — expressa lindamente o conceito bíblico de Lucas 6.37,38: "Dai, e servos-á dado..." Estive envolvida na igreja durante toda a minha vida, e já ouvi inúmeros sermões sobre esses poderosos versículos. Os princípios desses versos se aplicam a muitas áreas da vida, e também ao romance dentro do casamento.

Se pararmos de julgar e condenar nossos maridos pela sua necessidade de sexo e deixarmos de lado os ressentimentos do passado, ficaremos livres para derramar uma quantidade considerável de romance no nosso casamento. Em contrapartida, muitos maridos reagirão de forma romântica, automaticamente.

Ponha à Prova esta Sugestão!
Nosso décimo oitavo dia dos namorados como casados foi o melhor de todos! Na semana anterior, Daniel disse-me que gostaria de que saíssemos para namorar. Sorri e concordei. Ele conseguiu até que sua mãe tomasse conta das crianças. Tenho de confessar que fiquei impressionada! Vinha me esforçando bastante para aumentar o nível de romance no nosso casamento e fiquei entusiasmada ao vê-lo corresponder daquela maneira. Porém, quando chegou o dia do nosso encontro, Daniel não se sentia bem. Foi ficando cada vez mais enjoado por causa de um terrível vírus que lhe atacou o estômago. Ele havia trabalhado ao ar livre na casa de sua mãe o dia inteiro, e chegou em casa caindo aos

pedaços. Disse-lhe que poderíamos adiar nosso encontro para outra noite, mas ele insistiu em sair. No entanto, não tinha a menor condição de levar as crianças à casa de sua mãe e depois sair comigo. Então, sugeri que levássemos as crianças conosco. Nossos filhos estavam na "supermadura" idade de três e cinco anos, respectivamente. Embora sabendo que nosso namoro estaria cercado por uma "nuvem de testemunhas", meu coração transbordava de alegria e respeito porque meu marido estava pensando romanticamente.

Quando chegamos a um popular restaurante mexicano, descobri que ele havia feito reservas. Uau! Depois de nos sentarmos e fazer os pedidos, começamos a comer nossas *tortillas*, enquanto quatro homens se aproximaram da área em que estávamos. Todos estavam vestidos com coletes vermelhos, chapéus de palha e calças pretas. Comecei a balbuciar algo, imaginando se estavam vindo para a nossa mesa. Então, eles pararam e me deram duas rosas. Meus olhos se encheram de lágrimas. Daniel ficou radiante. Quando o quarteto começou sua serenata à capela, todos no restaurante ficaram nos olhando. Estava recebendo o mais romântico e revigorante presente de dia dos namorados de toda a minha vida. Enquanto o quarteto cantava belas canções românticas, ficava a olhar para Daniel, cujos olhos brilhavam de amor e carinho. Quando o quarteto terminou, todo o restaurante aplaudiu e comemorou.

Nunca tinha visto Daniel agir de forma tão romântica e com tantos segredos. Para mim, aquela era uma prova de que toda a energia que havia dedicado em namorar meu marido fora amplamente correspondida. Essa maravilhosa serenata veio de um homem que me dissera semanas atrás que não tinha certeza se sabia ser romântico. Deus me ajude se ele aprender! Quase desmaiei de tanta emoção! A ironia dessa noite foi que, àquela altura, estava ansiosa para satisfazer todas as necessidades físicas de Daniel, mas quando chegamos em casa ele estava tão enfermo que foi direto para cama. (Isto é a vida real, e não uma novela.) No dia seguinte, tinha apenas uma coisa a dizer: "Me aguarde! Você não vai me vencer!" Ele sorriu, imaginando o que eu aprontaria em seguida.

Um casamento com esta centelha possui uma qualidade mágica. Este tipo de carinho gera afeição profunda, respeito, muito amor e uma sensação de que "não conseguimos nos desgrudar um do outro". Somente dois corações que estão destilando amor um sobre o outro podem fazer amor — dois corações que estão se esforçando ao máximo para satisfazer as carências do outro. Este altruísmo também revoluciona o ato sexual, transformando-o em "fazer amor". Quando uma esposa está *fazendo amor*, ela deseja a união física. Não quer que os momentos íntimos terminem — e ela pode até vir a chorar quando esses momentos terminam, porque está muito feliz. Mas quando se trata de apenas fazer sexo, ou ela não deseja a união física, ou se torna indiferente. A esposa espera que tudo acabe logo, e sente-se aliviada quando pode ir dormir. Qualquer marido ou mulher pode fazer sexo. Entretanto, é preciso amor, planejamento e altruísmo para criar uma relação durável que transforme o sexo na suprema forma de expressão física de amor. Esse tipo de romance se desenvolve quando maridos e esposas estão ansiosos para viver a mensagem de Paulo em 1 Coríntios 7.3-5: "O marido pague à mulher a devida benevolência, e da mesma sorte a mulher, ao marido. A mulher não tem poder sobre o seu próprio corpo, mas tem-no o marido; e também, da mesma maneira, o marido não tem poder sobre o seu próprio corpo, mas tem-no a mulher. Não vos defraudeis um ao outro, senão por consentimento mútuo..."

Beije-me ele com os beijos da sua boca;
porque melhor é o seu amor do que o vinho.
Para cheirar são bons os teus ungüentos;
como ungüento derramado é o teu nome;
por isso, as virgens te amam.
Leva-me tu, correremos após ti.
O rei me introduziu nas suas recâmaras.

CANTARES 1.2-4

Aplicando a Teoria

O Aspecto Pessoal

O romantismo pode ser um grande desafio quando você está tão morta de sono que parece que vai entrar em coma. Há ocasiões em que, com certeza, preferiria me virar e dormir, em vez de satisfazer as necessidades sexuais do meu marido. Temos uma filha de cinco anos e um menino de sete, que às vezes me deixam bastante irritada. Acrescente a isso uma carreira de escritora que trabalha em casa e os compromissos de palestras, e posso garantir a você que sei muito bem o que é exaustão.

Satisfazer as necessidades do marido na área sexual é uma *opção que fazemos*. Viver a Regra de Ouro significa encarar as necessidades sexuais dele como uma parte importante de quem ele é, e não como uma provação que temos de suportar. Isto significa fazer nosso melhor para satisfazer os seus desejos, mesmo quando não estamos muito dispostas para o amor. Se não agirmos assim, estaremos comprometendo o amor sem egoísmo. Isto não significa que um cônjuge exausto nunca possa dizer: "Vamos deixar para outra vez?" Porém, de modo geral, num casamento segundo a vontade de Cristo, a esposa e o marido devem procurar se certificar de que o outro esteja fisicamente satisfeito.

A Questão da Comunicação

Comunicação é essencial em qualquer circunstância, inclusive no romance do casal. *Se você conversar, regular e afetuosamente, sobre suas necessidades emocionais* de romance e carinho, e souber expressá-las, com certeza conseguirá transmitir sua mensagem. Quando digo "regularmente", estou me referindo a estar aberta para ser dirigida pelo Espírito Santo e discutir o assunto à medida que ele surja naturalmente. Pode ser necessário discutir a questão três vezes por ano, durante dois anos, antes que a mensagem seja ouvida e entendida de forma clara. Quando digo "afetuosamente", quero dizer com um espírito atencioso e carinhoso, não com um tom de acusação (observar capítulos 4 e 5). Sugira a seu marido que leia obras que estejam relacionadas com tais assuntos. Quanto mais ansiosa você estiver para satisfazer as necessidades do seu marido, maior a probabilidade de que ele dê atenção às suas sugestões.

Se o seu casamento está atravessando uma crise séria, um conselheiro cristão pode ajudar no processo de comunicação. Mas tenha cuidado. Certifique-se de que ele tem uma excelente reputação e que *orará* com você, em vez de apenas oferecer-lhe conselhos. Só porque alguém pendurou uma placa em sua porta onde está escrito "Conselheiro Cristão", isto não significa que lhe dará orientações baseadas nos princípios bíblicos. Conselhos antibíblicos ou sem sabedoria, mesmo que sejam provenientes de um cristão, apenas irão piorar os problemas. Se seu marido não quer procurar um conselheiro, continue a interceder por ele em oração. Permita que Deus trabalhe em você, moldando-a cada vez mais à sua imagem. Quanto mais se submeter à purificação do Senhor, melhor esposa se tornará e mais atento para ouvi-la estará seu marido, seja qual for o assunto.

O Aspecto Físico

O desejo sexual de uma mulher tem flutuações. Quando ela é jovem, o desejo sexual varia de acordo com o ciclo menstrual. Após a menopausa, o desejo pode quase desaparecer. Também existem mulheres cuja libido é baixa por natureza. Se você tem dificuldade para corresponder fisicamente a seu marido, procure conversar com seu médico sobre medicamentos, suplementos e exercícios físicos que possam aumentar o seu desejo sexual.

Embora os problemas existam, descobri que, muitas vezes, eles são resultado das escolhas que as mulheres fazem. Se uma mulher gasta energia mental aviltando o romance e a união física, ela ficará menos inclinada a receber expressões físicas de amor. Entretanto, se ela se imagina envolvida num relacionamento íntimo com seu marido e usa sua energia mental para planejar encontros românticos, então as respostas físicas acontecerão naturalmente.

Pontos Importantes na Oração pelo Romance

Se romance no seu casamento é apenas nominal ou não existente, os seguintes pontos de oração são cruciais para revigorar seu relacionamento conjugal. Eu os recomendo como parte de seu devocional diário:

- Ore para que Deus renove e fortaleça o seu amor por seu marido.

- Ore para que Deus aumente o seu desejo sexual pelo seu marido.

- Ore para que você esteja interessada em satisfazer mais as necessidades do seu marido do que as suas próprias.

- Ore para que o Senhor lhe dê paciência consigo mesma e com seu cônjuge nessa jornada rumo ao romance espetacular.

- Peça a Deus para lhe mostrar maneiras criativas e divertidas de namorar seu marido.

Quem é esta que aparece como a alva do dia, formosa como a lua, brilhante como o sol, formidável como um exército com bandeiras?

CANTARES 6.10

O que Fiz

No nosso décimo sexto aniversário de casamento, planejei passarmos a noite num hotel com café da manhã, numa cidadezinha próxima — um daqueles lugares que parecem ter saído das páginas de um livro de histórias antigas. Arrumei nossas malas, escrevi um bilhete romântico e sugestivo, e o coloquei no volante do carro de Daniel, enquanto ele estava no trabalho. No bilhete, dizia que ele estava sendo raptado e que *eu* era seu presente de aniversário. Prometi um fim-de-semana de encantamento, e dei-lhe um mapa e orientações por escrito de como chegar lá. Fui para o quarto do hotel, vesti uma camisola muito bonita e esperei por ele na porta da frente. Como nosso aniversário de casamento cai na semana anterior ao Natal, tivemos o hotel inteirinho somente para nós.

O Motivo

Esta foi a apresentação ao meu marido da minha nova personalidade romântica. Decidi que havia chegado o momento de parar de esperar que ele fosse mais romântico; tomaria a iniciativa de começar o romance. Queria deixá-lo extasiado com um fim-de-semana que jamais esqueceria.

Como me Senti

Estava tão empolgada que mal podia me conter. Daniel sabia que eu já havia "comprado" seu presente de aniversário de casamento, e uma certa noite perguntou-me: "Isto aqui é algo que nós dois podemos usar?" Quase morri de rir. Depois disso, compreendi que ele pensava que eu comprara uma nova cadeira para nossa mesa de computador. Que coisa sem graça! Além de estar entusiasmada por causa do fim-de-semana, também estava cansada de tentar esconder esses planos com uma criança de dois e outra de quatro se pendurando nas minhas saias.

Obstáculos que Tive de Vencer

Meus principais obstáculos foram tentar ir a uma loja para comprar uma nova camisola e uma garrafa de suco de uvas, arrumar nossa bagagem e levar as crianças à casa de uma amiga, tudo isso antes das quatro da tarde. Isto não parece muita coisa, mas fazia apenas seis meses que tínhamos adotado nossa filha vietnamita, que tinha somente dois anos de idade. Retirá-la do orfanato foi algo que a perturbou profundamente e ela gritou por quase dois anos depois que a tiramos de lá. Naquele dia, enquanto me preparava para sair, Brooke ficava me seguindo por toda a casa, berrando como se a estivessem matando.

A Reação dele

Daniel deixou 16 rosas ao lado do meu presente de aniversário de casamento, em cima da mesa da sala de jantar. Ao meio-dia, ele telefonou para saber se eu tinha visto as rosas. Brooke estava gritando, Brett (4 anos) queria minha atenção exclusivamente para ele, e eu estava exausta e precisando dormir. A única coisa que consegui responder foi: "Sim, vi as rosas. Sei que elas estão lá, mas não posso pegá-las agora".

Depois, disse um até logo meio apressado e desliguei. Mais tarde, Daniel disse-me que depois de desligar o telefone, ficou bastante chateado. Comentou até com um de seus colegas de trabalho que tinha se esforçado muito para comemorarmos nosso aniversário de casamento, e parecia que eu não estava me importando muito. Foi nesta situação que ele leu o bilhete que deixei no volante do carro. Depois de lê-lo, ficou completamente abobalhado e pensou: *Ela me venceu!*

Daniel chegou ao hotel num estado de espanto total. Como éramos os únicos hóspedes, resolvi mostrar-lhe todas as dependências do lugar. (Sim — estava usando minha camisola e robe novos, para dar um toque festivo ao turismo!) Ele só ficava repetindo: "Este lugar é esplêndido". Então, de repente, ele sorriu e disse: "É... Você me venceu!"

O que Gostaria de Ter Feito

Planejei nosso primeiro encontro íntimo para antes do jantar, mas deveria ter esperado até depois, pois estávamos famintos e muito cansados. Acho que um período de relaxamento, refeição e intimidade emocional teriam dado muito mais brilho à nossa união física.

Cortando Gastos

Nesta escapada de uma noite, gastei aproximadamente 130 dólares, incluindo refeições e uma camisola não muito cara. Algo que fiz para economizar um pouco neste fim-de-semana foi procurar uma amiga para cuidar das crianças, em vez de pagar alguém para isso. Se você não tiver condições de pagar um hotel, pode criar um ambiente diferente em sua própria casa. Enfeite sua cama com um dossel, compre velas, prepare uma refeição especial, coloque uma música romântica... Use sua imaginação!

Observação Especial

Você está se sentindo inspirada e quer começar a namorar seu marido hoje? Se este é o caso, sinta-se à vontade e leia o capítulo 9 para obter idéias mais cativantes para seus encontros.

2
Um Caminho ainda mais Excelente

E eu vos mostrarei um caminho ainda mais excelente.

1 Coríntios 12.31

A Fuga das Vacas

Durante um certo tempo, meu marido e eu moramos na roça. Nossa casinha de tijolos vermelhos era a imagem perfeita da vida no campo, com uma decoração cheia de charme e um quintal enorme. Ela ficava numa estradinha sinuosa, cercada de pastagens e bosques, e tinha até uma barragem de castores nos fundos do terreno de dois hectares. Tínhamos apenas uma vizinha que podíamos avistar, já que todos os outros moravam bem distantes de nós.

Essa vizinha tinha algumas cabeças de gado que mantinha num pasto não muito distante, descendo a estrada. Certo dia, acordei com o barulho de animais mastigando e mugindo — e eles pareciam estar bem perto. Dei uma olhada pela janela da frente e vi meu jardim coalhado de bichos enormes, com chifres pontudos, que pareciam estar fixando residência permanente no meu terreno. Imediatamente, peguei o telefone e liguei para Joyce, minha vizinha, e perguntei se aquelas eram as suas vacas. Fiz uma breve descrição e ela chegou à conclusão de que os animais de fato lhe pertenciam. A essa altura, as vaquinhas estavam passeando calmamente pelo meu jardim e pela estrada.

Eu mal tinha desligado o telefone quando vi aquela mulher de seus quarenta e poucos anos, bela e atraente, com cabelos cacheados e batom impecável, descendo pela estrada numa charrete de passeio e gritando:

— Eia! Eia! Já pra casa, suas vacas! Eia! Eia!

As vacas abaixaram as orelhas e começaram a trotar pela estradinha em direção ao pasto, de onde não deveriam ter saído. Joyce conseguiu tocar as vacas muito bem com sua charrete de quatro rodas. Depois fez um conserto provisório na cerca do pasto para que elas não fugissem de novo. Mais tarde, ela e o marido trabalharam juntos no conserto definitivo.

No entanto, o que teria acontecido se, quando telefonei para Joyce, ela tivesse recostado na cadeira, cruzado os braços e dito: "Eu não vou sair atrás daquelas vacas de jeito nenhum! Isso é trabalho do meu marido. Deus deu-lhe a tarefa de cuidar do gado — não a mim". Bem, vou dizer o que teria acontecido. Aquelas vacas, que custam um ano de salário, teriam ficado vagando o dia inteiro. Algumas podiam se perder e uma ou duas talvez fossem atropeladas por algum motorista desavisado. Em suma, aquele fato engraçado poderia ter se transformado num desastre financeiro.

A arte de amar é, basicamente, a arte da persistência.

ALBERT ELLIS

Às vezes, os casamentos se parecem muito com esse incidente das vacas. Há ocasiões em que as cercas do casal precisam ser consertadas, porém ficamos tão preocupados em definir a responsabilidade de cada um que, simplesmente, nos sentamos, cruzamos os braços e nos recusamos a mover uma palha para resolver o problema. *Mas nosso casamento é o bem mais precioso que possuímos!* Já está na hora das esposas cristãs deixarem de lado esta idéia de que a passividade feminina é sagrada. Ficar de braços cruzados e dizer: "Não posso tomar nenhuma iniciativa a respeito do meu casamento porque estaria violando as normas estabelecidas por Deus", é como deixar vacas caríssimas andando por aí, sem fazer nada para resolver o problema. Talvez tenhamos definido nossos papéis conjugais de uma forma tão rígida que acabamos ficando de mãos atadas.

As livrarias evangélicas estão cheias de livros que analisam a Bíblia sob todos os ângulos possíveis e imagináveis. Os autores cristãos fazem um verdadeiro passeio pelo grego e o hebraico, e esmiúçam todas as versões bíblicas existentes. Nossa pilha de obras de referência apresenta vários pontos de vista diferentes, dentro da linha interpretativa de cada denominação. Supostamente, todas essas teorias têm apoio escriturístico, apesar de algumas serem contraditórias. Muitas hipóteses são formuladas por pessoas que já foram casadas, enquanto outras vêm de pessoas que nunca assumiram esse compromisso.

Não ligo muito para análises. Na verdade, meu raciocínio tende a ser do tipo analítico (Às vezes, sinto que poderia imaginar até mesmo um meio de fugir de uma caverna nos confins da Sibéria. A opinião do meu marido a respeito do meu raciocínio analítico é: "Você seria capaz de argumentar até com um mourão de cerca".). Todavia, há momentos em que penso em todas estas argumentações e definições de papéis, e acredito que não conseguimos ainda compreender o que Deus fez no jardim do Éden, quando criou duas pessoas para se amarem, se completarem e viverem em harmonia. Jesus era um mestre na arte de demonstrar claramente que as pessoas não tinham entendido nada a respeito de um determinado assunto. Quando os líderes judaicos o questionaram a respeito do divórcio, Ele respondeu, em essência: *Vocês se lembram do jardim do Éden? Pois vocês não entenderam nada* (Mt 19.8). Quando os discípulos quiseram saber quem era o maior, Ele chamou uma criança e disse: *Vocês não entenderam nada* (Mt 18.1-4). Quando Cristo curou o homem que tinha a mão mirrada, os fariseus censuraram-lhe a ousadia de trabalhar no dia de sábado. Jesus olhou para eles e disse, em resumo: *Eu não posso fazer o bem no dia de sábado? Vocês não entenderam nada mesmo!* (Mc 3.1-6) E quando o Salvador abriu seus braços e morreu na cruz, Ele declarou: *Pai, perdoa-lhes, porque não entenderam nada* (paráfrase de Lc 23.34).

Da mesma forma, também podemos ficar tao preocupados em definir quem deve fazer o quê dentro do casamento que acabamos não entendendo nada. Em vez de termos um marido e uma mulher que navegam no mesmo barco pelo mar da vida, remando *juntos*, consertando as velas *juntos* e cuidando *juntos* de todos os detalhes da jornada, muitos cônjuges estão, na verdade, viajando em barcos diferentes! No entanto, jamais se tornarão uma só carne, enquanto não entrarem no *mesmo* barco.

Desde que meu marido e eu entramos no mesmo barco, já tivemos várias conversas esclarecedoras sobre o papel de cada um no nosso casamento. A conversa geralmente começa quando ele me abraça e diz algo como:
— O que posso fazer para melhorar a sua vida?
Eu respondo:
— Não. Eu é que quero tornar sua vida melhor. Tem alguma coisa que possa fazer para ajudar?
Então, ele diz:
— Eu perguntei primeiro. É a minha vez de servir a você.

O abraço, então, fica mais apertado, o calor aumenta, e uma nuvem de amor desce sobre nós.

Meu marido e eu somos duas pessoas extraordinárias que vivem numa cidadezinha do Texas. Temos dois filhos pequenos perfeitamente normais (como comprovam os brinquedos espalhados pela casa inteira). Temos quatro gatos adultos, porém uma das gatas acaba de dar à luz cinco gatinhos. Temos dois periquitos que meu marido está sempre ameaçando fritar para o jantar. Hoje de manhã, deixei as camas por fazer, pratos na pia e roupa suja empilhada no tanque. Vamos à igreja três vezes por semana e ao supermercado cerca de cinco. Fomos criados em igrejas pequenas e tradicionais, que, nos domingos em que a freqüência era alta, tinham umas sessenta pessoas no culto. Viemos de famílias que trabalhavam duro e, decididamente, não tinham nenhuma fortuna passando de geração a geração. Apesar de já termos voado em alguns jatos, nenhum de nós poderia ser considerado um membro do *jet set* (grupo de pessoas da sociedade que viaja, como a jato, por prazer) — e nunca nos sentiríamos à vontade no meio deles. Em muitos aspectos, nossa vida é de fato igual à de milhares de casais cristãos.

Exceto por uma coisa. Depois de quase duas décadas juntos, temos um relacionamento invejável. Nosso casamento é aquele tipo de união pelo qual muitas mulheres suspiram em suas noites de insônia. Daniel e eu somos ótimos amigos e amantes. Nunca nos cansamos um do outro. Achamos graça das mesmas coisas e rimos das nossas histórias — mesmo que ninguém mais esteja rindo. Admiramos os pontos fortes um do outro e procuramos minimizar nossas fraquezas. Cada um de nós colocou o outro num pedestal e está convencido de que ninguém no mundo inteiro consiga "chegar a seus pés". Prefiro estar com meu marido do que qualquer outra pessoa. Como diz Shakespeare: "Somos feitos da matéria dos sonhos"; como Deus diz: "Tornando-se os dois uma só carne" (Gn 2.24, ARA).

Ao longo dos anos, tenho ouvido vários especialistas bem-intencionados — alguns casados, outros não — pregarem sermões eloqüentes ou darem palestras sobre quais são os papéis do homem e da mulher no casamento e quais os ingredientes necessários para se ter um excelente relacionamento matrimonial. Porém, em todos esses anos interagindo com pessoas dentro da igreja e observando atentamente o seu comportamento, posso dizer que vi pouquíssimos casamentos com um genuíno espírito de "dois corações unidos", que parecem estar sempre repetindo o refrão: "Sou louco por você", e que se esforçam em manter a meta de "ajudar o cônjuge a ter boa aparência e fazê-lo sentir-se a pessoa mais importante do mundo".

Essas são as metas de um casamento excelente. Lawrence Richards, refletindo acerca de Efésios 5, diz: "Paulo não está falando sobre a instituição do casamento, e sim sobre o relacionamento dos cônjuges. Quando o marido ama a esposa com o amor e o propósito de Cristo, e cuida do seu bem-estar como se fosse o seu próprio, os problemas comuns em tantos matrimônios tornam-se fáceis de resolver".[1] Da mesma forma, Deus quer que todos, inclusive as esposas, cumpram o que está escrito em Efésios 5.1,2: "Sede, pois, imitadores de Deus, como filhos amados; e andai em amor, como também Cristo vos amou e se entregou a si mesmo por nós, em oferta e sacrifício a Deus, em cheiro suave". A esposa que respeita e ama seu marido dessa forma, descobre bem depressa que muitos problemas deixam de existir. A vida de um casamento não reside em definições de papéis padronizados, mas sim no amor incondicional e sacrificial de ambos os cônjuges.

Portanto, procurai com zelo os melhores dons; e eu vos mostrarei um caminho ainda mais excelente. Ainda que eu falasse as línguas dos homens e dos anjos e não tivesse caridade, seria como o metal que soa ou como o sino que tine. E ainda que tivesse o dom de profecia, e conhecesse todos os mistérios e toda a ciência, e ainda que tivesse toda a fé, de maneira tal que transportasse os montes, e não tivesse caridade, nada seria. E ainda que distribuísse toda a minha fortuna para sustento dos pobres, e ainda que entregasse o meu corpo para ser queimado, e não tivesse caridade, nada disso me aproveitaria. A caridade é sofredora, é benigna; a caridade não é invejosa; a caridade não trata com leviandade, não se ensoberbece, não se porta com indecência, não busca os seus interesses, não se irrita, não suspeita mal; não folga com a injustiça, mas folga com a verdade; tudo sofre, tudo crê, tudo espera, tudo suporta. A caridade nunca falha; mas, havendo profecias, serão aniquiladas; havendo línguas, cessarão; havendo ciência, desaparecerá; porque, em parte, conhecemos e, em parte, profetizamos. Mas, quando vier o que é perfeito, então, o que o é em parte será aniquilado. Quando eu era menino, falava como menino, sentia como menino, discorria como menino, mas, logo que cheguei a ser homem, acabei com as coisas de menino. Porque, agora, vemos por espelho em enigma; mas, então, veremos face a face; agora, conheço em parte, mas, então, conhecerei como também sou conhecido. Agora, pois, permanecem a fé, a esperança e a caridade, estas três; mas a maior destas é a caridade

1 Coríntios 12.31—13.13
(ênfase minha)

Amor Santo

Por mais irônico que possa parecer, a única maneira de ter um casamento cheio de amor é abandonando de vez a idéia de que um homem pode ser "tudo" na vida de uma mulher. Basta ligar o rádio numa estação qualquer para ouvir diversos cantores dos mais variados estilos proclamando que um determinado ser humano é a sua razão de viver. Os cartões para casais apaixonados trazem frases como "Não posso viver sem você". A mensagem de que uma mulher pode se apaixonar em duas semanas e um homem suprirá todas as suas necessidades faz parte da nossa cultura. Os filmes insinuam a mesma coisa. Em seu livro *Romantic Love* (Amor Romântico), James Dobson afirma que o Ocidente dá muita importância a conceitos errôneos como amor à primeira vista.[2]

Embora acredite que uma pessoa que está em sintonia com o Senhor possa ter um certo discernimento de que encontrou aquele alguém especial, com certeza estamos completamente enganados se achamos que é possível penetrar as profundezas do amor maduro já no primeiro encontro. O amor profundo e verdadeiro não acontece da noite para o dia. E o romance maduro também não. Essas coisas acontecem quando a nossa razão de viver é *Jesus Cristo*, e não o nosso candidato a cônjuge. O amor verdadeiro — aquele que arde intensamente por décadas a fio — é uma conseqüência direta do nosso amor santo por Jesus.

> Você quer receber Jesus como seu Salvador pessoal? Creia que Ele é o Filho de Deus, e que realmente é o Deus encarnado. Confesse que você é pecadora e que precisa do perdão de seus pecados. Peça a Cristo para perdoá-la por tudo de errado que você já fez. Adquira uma Bíblia e comece a ler o Novo Testamento — iniciando pelo Evangelho de Mateus. Junte-se a uma igreja que busca cumprir os ensinamentos da Palavra de Deus. Partilhe sua nova fé com seu marido. Se não crer imediatamente, não o pressione. Ore por ele, diariamente.

Quando a mulher deixa de olhar seu marido como o único meio de preencher o vazio de sua alma e começa a olhar para Jesus Cristo, um novo tipo de amor irá surgir. É um amor especial. Um amor que não desvanece, nem mesmo diante dos problemas ou das imperfeições do esposo. Este amor brota direto do coração de Deus e envolve o casamento numa atmosfera doce e quente. Nenhum ser humano é capaz deste amor altruísta; ele só é possível com a ajuda do Senhor. E esse sentimento só amadurece completamente depois que a esposa passa muitas horas por semana, mês após mês, permitindo que o Senhor purifique seu coração e transforme o seu interior, até fazê-la conforme à sua imagem.

Não pode haver verdadeira intimidade no casamento se não permitirmos que Deus tenha acesso irrestrito ao nosso coração. Se uma mulher resiste ao Senhor e se recusa a ter intimidade com aquEle que a criou, com certeza jamais conseguirá experimentar a intimidade completa com seu marido, a ponto de serem os dois uma só carne. Se deixarmos Deus de fora, estaremos, sem querer, deixando de fora nosso cônjuge. Somente após entregarmos cada fibra do nosso ser ao Senhor é que nos tornaremos capazes de ser um canal desse amor abnegado, como toda esposa devotada deve ser.

O romance dentro do casamento só consegue crescer depois que alcançamos uma profunda intimidade com Deus e Ele se torna o centro da nossa vida. Isso permite que o marido tenha liberdade para ser ele mesmo — simplesmente um ser humano —, livre das cobranças de uma esposa que exige que seja perfeito. A entrega total de nossa vida ao Senhor é um ato que nos permite amar sacrificialmente nossos maridos do jeito que eles são, sem aquela "necessidade" de mudá-los.

Entretanto, o simples fato de uma mulher ser cristã e freqüentar a igreja não garante que ela tenha uma verdadeira intimidade com Jesus Cristo. Só porque a mulher está entrando na maturidade, isto não quer dizer que tenha (ou tenha tido alguma vez na vida) um relacionamento profundo com o Senhor. Viajo e dou palestras em vários lugares, e muitas mulheres vêm conversar comigo sobre seus conflitos. Não importa qual seja o problema, um de meus conselhos é sempre o mesmo: Gaste tempo com o Senhor, todos os dias — se não puder ser todos os dias, pelo menos várias vezes por semana. Coloque uma música de adoração para tocar, sente-se num lugar confortável, feche os olhos e fique na presença do Senhor durante, pelo menos, trinta minutos a uma hora. Não lhe peça nada nesta hora. Não peça que Ele mude seu marido, ou outra pessoa qualquer. Não queira ensinar-lhE como atender às suas orações. Simplesmente, volte o seu coração para Deus, pense nEle e peça-lhE para encher o seu ser, fazê-la conforme à sua imagem e mostrar-lhe como amar melhor o seu marido. Salmos 46.10 esclarece de forma mais objetiva o que quero dizer: "Aquietai-vos e sabei que eu sou Deus". Existe uma relação direta entre conhecer a Deus e aquietar-se. Portanto, se não nos aquietarmos, não conheceremos a Deus. *Então*, depois de passar bastante tempo em adoração, coloque suas petições diante do Todo-Poderoso. Após o período de pedidos, geralmente leio a Palavra de Deus. E, na presença do Senhor que me criou, a Bíblia se torna viva e me ensina de uma forma dinâmica e transformadora.

A intimidade divina se obtém sorvendo, regularmente, a presença de Deus. É este relacionamento sobrenatural que permitirá que o poder de Deus flua através de você, impregnando seu casamento com um amor vindo diretamente do céu. E não será apenas o seu matrimônio que passará por uma revolução, mas todos os seus relacionamentos serão beneficiados pelo amor incondicional de Deus fluindo do seu interior.

Talvez você esteja pensando: *É disso que preciso, porque, neste momento, não sinto nenhum amor pelo meu marido.* Tenho de ser honesta com você. Meu casamento não foi sempre do jeito que é hoje. Quando nos casamos, eu tinha acabado de fazer 19 anos e meu marido havia completado 23 duas semanas atrás. Costumo dizer que a vantagem de se casar jovem é que o casal cresce junto, e aqueles anos de juventude compartilhada têm o potencial de criar uma forte ligação por toda a vida. A desvantagem é a agitação que o casal pode ter de enfrentar durante o processo de amadurecimento. Meu marido e eu tivemos de lançar mão de amplas doses de perdão e amor para sobrevivermos aos turbulentos anos da juventude. Somente há alguns anos é que pudemos olhar um para o outro e dizer: "Ah! Isso é amor de verdade! Será que nos amávamos antes?" Com certeza, sentimos aquela vertigem e excitação da novidade durante o namoro e o início do casamento. Até senti, quando conheci Daniel (eu tinha 15 anos e ele 19), que havia algo de especial nele; que talvez ele pudesse ser o meu companheiro por toda a vida. Todavia, com o passar dos anos de casamento, o amor atinge uma profundidade que faz com que os primeiros anos pareçam superficiais e instáveis. Infelizmente, há muitos casais que ficam juntos por 50 anos e nunca se recuperam dos golpes que deram um no outro, no início do casamento. Às vezes, me pergunto se meu marido e eu também não estaríamos presos aos sofrimentos passados, se não tivesse começado a buscar a Deus de todo o coração, como está escrito em Salmos 42.1,2: "Como o cervo brama pelas correntes das águas, assim suspira a minha alma por ti, ó Deus! A minha alma tem sede de Deus, do Deus vivo; quando entrarei e me apresentarei ante a face de Deus?"

Um elemento importante para a vitalidade do meu casamento está dentro de mim. Quanto mais suspirava por Deus e o buscava, mais forte me tornava, espiritualmente. Quanto mais permitia que Ele me transformasse, menos me importava com as falhas do meu marido, e mais depressa meu casamento crescia até transformar-se no maravilhoso relacionamento que Daniel e eu temos hoje em dia. A transformação levou vários anos de intensa obra espiritual, mas valeu todo o esforço! Esta busca da santidade e do amor de Deus é, realmente, "um caminho ainda mais excelente". Você não acha surpreendente que uma mulher possa ter todo esse poder dado por Deus? Como diz Gary Smalley, as mulheres de fato regulam os relacionamentos dentro do matrimônio. Você tem uma influência *enorme* na atmosfera de amor do seu casamento!

Aplicando a Teoria

O Aspecto Pessoal

Meu marido e eu temos uma história particular. Ele diz que toda essa questão de "namorar seu marido" parece ótima... contanto que não tente me namorar domingo à tarde ou às 6 horas da manhã. Todos temos nossos limites. Sinceramente, nessas horas não me sinto disposta a me derreter por ninguém, a não ser meu travesseiro. Minha soneca das tardes de domingo é quase sagrada. E, às 6 da manhã, geralmente me sinto como se alguém tivesse me dado uma bordoada na cabeça. Em geral, estou tão tonta nessa hora que não sei em que dia da semana estou, em que mês do ano, e nem sequer qual é o meu nome. Por isso, costumo encarar com muita desconfiança aquele homem estranho que vem andando na minha direção. Ele pode estar dizendo que é meu marido, porém todo cuidado é pouco! Tudo isso é para dizer que, quando falo em envolver o outro numa atmosfera de amor, estou me referindo ao contexto geral do casamento. Há momentos em que a empolgação do romance ou pensamentos amorosos não são bem-vindos — por exemplo, após um parto, ou quando a pessoa está se recuperando de uma infecção intestinal, ou quando uma criança de quatro anos acaba de inundar o banheiro. Contudo, quando as crises são superadas, a resposta amorosa se acende de novo, cheia de amor incondicional, receptividade e uma alta dose da graça de Deus.

O Fator Tempo

Sim, você precisa de tempo para apaixonar-se pelo Senhor *e* por seu marido. Sejam quais forem suas restrições, quero incentivá-la a investir seu tempo e energia no seu relacionamento com eles. No meu caso, por exemplo, isto significa que raramente assisto à televisão. O único momento em que me sento no sofá para assistir alguma coisa na TV é quando isso representa uma chance de aumentar a comunhão familiar. Meus filhos têm um programa favorito que passa à tarde, e nos sentamos juntos para assistir. Meu marido e eu também gostamos de assistir a um filme, quando temos um de nossos encontros sem sair de casa. Entretanto, eu mesma não tenho nenhum programa favorito nem um horário certo para ver televisão. Minhas prioridades no uso do tempo são meu casamento e Deus (se algum dia for para um asilo, vou ter muito tempo para ver televisão).

Outra escolha difícil que tive de fazer foi limitar os meus e-mails ao estritamente necessário para manter meus relacionamentos interpessoais e tratar de assuntos de trabalho. Se você tem surfado na *web* ultimamente, já deve ter percebido que ela também pode absorver todo o seu tempo. O correio eletrônico e a Internet podem ser altamente viciadores. Deus mostrou-me que não tenho nada que tirar tempo da minha família e/ou do meu marido para gastar em frente a um computador. As invenções modernas são maravilhosas, e eu mesma tenho uma página na Internet. Mas não deixe que essa conveniência moderna consuma sua vida.

Outra decisão que tive de tomar em relação à administração do tempo foi contratar uma empregada. Antigamente, não tínhamos condições de pagar alguém para ajudar nas tarefas da casa, de modo que entendo perfeitamente se você não puder fazer isso agora. Todavia, prefiro dirigir um carro antigo e ter uma empregada a trocar de carro a cada dois anos. Ter alguém para ajudar a cuidar da casa, nem que seja só uma ou duas vezes por mês, impede que fiquemos atoladas em tarefas domésticas. Se seu marido rejeita essa idéia, explique-lhe que ter uma empregada significa que sobrará mais tempo para vocês namorarem. A maioria dos homens muda logo de idéia quando a questão é colocada nesses termos! (Meu marido ficou animado só de ver a casa limpa. Esqueça o romance — ele já estava contente de ver o chão brilhando!) Outra opção é envolver toda a família nas tarefas domésticas.

Estas são apenas algumas opções que fiz em relação ao meu tempo. Talvez haja outras áreas na sua vida onde é possível distribuir melhor o tempo a fim de aprofundar seu relacionamento com o Senhor e seu marido. Descobri por experiência própria que o Senhor é fiel em me ajudar a gerenciar meu tempo com mais sabedoria.

O Aspecto Espiritual

Adoraria dizer que não falho nunca em minhas devoções, mas não posso. Há semanas em que faço um esforço enorme para conseguir estar dois dias a sós com Deus. Acho que a maioria das mães que têm filhos pequenos passa pela mesma situação. Mas, de modo geral, consigo ter um intenso período de oração, três ou quatro vezes por semana; há semanas em que não falho um dia sequer. Embora esteja vivendo o período mais maravilhoso da minha vida amando meu marido, andando atrás das crianças, escrevendo e dando palestras, às vezes fico imaginando como será no futuro, quando terei mais horas para estar na presença de Deus. O tempo que atualmente dedico ao Senhor provoca grandes transformações em mim, capacita-me a viver de acordo com a sua Palavra e enche o meu casamento de amor.

Se você não tem uma vida de oração significativa, comece hoje mesmo! Todas somos muito ocupadas, e sempre haverá um motivo para não orar nem ler a Bíblia. Mas dizer que estamos muito ocupadas para ter um tempo a sós com Deus é como dizer que estamos ocupadas demais para tomar banho. O tempo que passo com Deus mantém meu coração puro, minha mente centrada e minhas mãos limpas diante do meu Senhor.

Um Caminho ainda mais Excelente

Pontos Importantes na Oração pelo Romance

Se você está com dificuldade de estabelecer uma vida devocional significativa, as sugestões a seguir irão ajudá-la a buscar a Deus de todo o seu coração.

- Se você acha que é espiritualmente fraca apenas porque é mulher, ore para que o Senhor arranque de sua mente este pensamento errôneo.

- Ore para que o Senhor lhe dê a capacidade de ouvir quando Ele a chamar à ação. Esteja aberta para orar em horas estranhas, se esta for a única maneira de ter um momento sossegado a sós com Deus. (Quando adotamos nossa filha, ficava muitas vezes acordada com ela à noite, de modo que meu período de oração podia acontecer às 2 ou 3 horas da madrugada)

- Ore para que Deus dê estabilidade ao seu período devocional.

- Peça ao Senhor que a ajude a aplicar os ensinamentos de sua Palavra, trazendo-os para a vida prática (Ester e Rute são bons livros para começar).

- Ore para que você tenha a coragem de obedecer a Deus quando Ele começar o ciclo de purificação e bênção em seu coração. Não se surpreenda se o Senhor a conduzir através de pensamentos e passagens da Escritura com o intuito de levá-la a executar alguma forma de restituição quanto a seu marido — até mesmo numa área em que ele tenha falhado primeiro. O fato de o marido ter pecado primeiro não justifica uma reação pecaminosa por parte da esposa... e vice-versa. Se você não der ouvidos ao Senhor, seu casamento e seu crescimento espiritual ficarão estagnados.

Idéias Românticas

Disse, porém, Rute: Não me instes para que te deixe e me afaste de ti; porque, aonde quer que tu fores, irei eu e, onde quer que pousares à noite, ali pousarei eu; o teu povo é o meu povo, o teu Deus é o meu Deus. Onde quer que morreres, morrerei eu e ali serei sepultada; me faça assim o Senhor e outro tanto, se outra coisa que não seja a morte me separar de ti.

RUTE 1.16,17

O que Fiz

Dei um jeito para que Daniel e eu renovássemos nossos votos matrimoniais. Antigamente, toda vez que pensava nisso, vinha à minha mente a idéia de um casamento inteiro. Eu, num lindo vestido de noiva; meu marido de smoking. As velas. As damas de honra. As flores. A recepção. Um acontecimento dessa magnitude seria quase impossível de organizar tendo uma casa para cuidar, duas crianças pequenas para tomar conta, prazos de entrega de livros e palestras agendadas. Então, um dia, pensei: *Por que recriar uma cerimônia de casamento inteira? Por que não podemos ter uma cerimônia simples, de surpresa?* E foi o que fiz. Chamei o pastor que nos casou (agora ele já está jubilado) e pedi-lhe que nos encontrasse em nossa igreja. Sem decoração. Sem convidados. Sem estardalhaço. Só Daniel e eu, o pastor e sua esposa. Foi uma surpresa total para Daniel.

O Motivo

Era nosso décimo oitavo aniversário de casamento, e queria fazer algo realmente especial. Nos anos anteriores, sempre dávamos um jeito de passar a noite fora, somente nós dois. Mas naquele ano não seria possível. Por isso, queria fazer algo que fosse tão empolgante quanto uma escapada clandestina. Além disso, nosso amor tinha se aprofundado tanto durante aquele ano que estávamos meio que "atordoados". Queria uma cerimônia de renovação do compromisso que representasse o desabrochar do nosso amor.

Um Caminho ainda mais Excelente

Como me Senti

No dia da cerimônia, estava quase desistindo. Daniel sentia que eu havia planejado alguma coisa, mas não fazia a menor idéia do que era. Tenho de admitir também que estava um pouco orgulhosa de mim mesma. Sabia que tivera uma idéia melhor do que aquela serenata no restaurante que ele preparou para mim no Dia dos Namorados. Estava realmente cumprindo minha promessa de que ele não iria me superar!

Obstáculos que Tive de Vencer

Quando faltavam umas duas semanas para a cerimônia, quase desisti de tudo. Comecei a pensar que talvez não funcionasse, ou que talvez não fosse nada de especial. Meu principal obstáculo foi minha própria insegurança.

A Reação dele

Daniel dirigiu até a igreja, e, chegando lá, saímos da caminhonete. Parei do lado de fora da porta, segurei sua mão e disse:

— Agora, quero perguntar uma coisa: Quer se casar comigo?

A esta altura, ele tinha aberto um enorme sorriso, e então disse que sim! Entramos na igreja de braços dados e o pastor já estava nos esperando. Estávamos completamente eletrizados.

A cerimônia acabou sendo mil vezes mais significativa do que no dia do nosso casamento. Choramos muito na hora em que prometemos nos amar "até que a morte nos separe". Desta vez, tínhamos um conhecimento mais maduro sobre o conceito de casamento. Os anos que passamos juntos tornaram aquele momento muito mais doce. Depois da breve cerimônia, saímos para jantar, e Daniel disse:

— Bem, você conseguiu. Você me superou.

Eu sorri orgulhosa. E, então, ele acrescentou:

— Mas tenho planos ainda melhores que este!

O que Gostaria de Ter Feito

Pedi à esposa do pastor que colocasse um CD especial, com melodias românticas. Ela escolheu um CD de um saxofonista. A idéia foi boa e a música era ótima, mas aumentei demais o volume do som. Deveria ter colocado o volume bem baixinho. Além disso, as melodias distraíam um pouco a atenção.

Cortando Gastos

Paguei ao celebrante cerca de 25 dólares pelo tempo aproximado de uma hora que tiramos de seu dia, a fim de compensá-lo pelo trabalho de vestir um terno, dirigir até a igreja e tudo mais. Ele, de fato, não queria receber o dinheiro, porque somos bons amigos. Mas insisti. Não comprei nenhuma roupa nova — apenas abri o armário e escolhi um traje elegante, porém informal. Dependendo de suas escolhas, você pode gastar muito ou pouco neste interlúdio romântico.

3
Liberdade e Graça

Quando eu era menino, falava como menino, sentia como menino, discorria como menino, mas, logo que cheguei a ser homem, acabei com as coisas de menino.

1 CORÍNTIOS 13.11

Definição de Churrasco ao Ar Livre

O CHURRASCO GERALMENTE É A ÚNICA COMIDA que um homem "de verdade" consegue fazer (pelo menos a maior parte deles). Quando um homem se apresenta como voluntário para preparar um churrasco, desencadeia-se a seguinte sucessão de eventos:

1. A mulher vai ao mercado comprar todos os ingredientes necessários.

2. A mulher prepara a salada, os acompanhamentos e a sobremesa.

3. A mulher prepara a carne para assar, coloca-a numa bandeja com todos os utensílios de cozinha necessários e entrega tudo ao marido, que está descansando ao lado da churrasqueira, bebendo um refrigerante.

4. O homem põe a carne na churrasqueira.

5. A mulher vai preparar a mesa, arrumar os condimentos e dar um toque final nos acompanhamentos.

6. A mulher vem avisar ao homem que a carne está queimando.

7. O homem dá um salto da cadeira, larga o refrigerante, tira a carne da churrasqueira e a entrega à mulher.

8. A mulher prepara os pratos e os leva para a mesa.

9. Depois da refeição, a mulher tira a mesa e lava a louça.

10. O homem pergunta à mulher o que ela achou de "comer fora". Ao ver sua expressão de aborrecimento, ele chega à conclusão de que algumas mulheres são mesmo difíceis de agradar.[1]

Quem É a Mãe?

Em alguns lares, a descrição acima está mais perto da verdade do que muitos gostariam de admitir. Uma das reclamações que mais escuto das mulheres é: "Meu marido é um desajeitado, mesmo. O coitado não consegue fazer nada sozinho". O que me deixa surpresa é que esses "coitados" muitas vezes são diretores ou gerentes de empresas, pastoreiam igrejas, controlam máquinas pesadas ou fazem complicadas cirurgias no cérebro. Mas, quando chegam em casa, é como se deixassem de lado o homem e se transformassem numa criança que precisa ser cuidada. Que ciclo interessante de independência e dependência. Depois de muito refletir sobre este assunto, cheguei à conclusão de que os homens desajeitados não nasceram assim — alguém fê-los ficar dessa maneira. Muitas vezes, as mulheres que reclamam da incapacidade de seus maridos de fazerem coisas em casa são exatamente aquelas que assumem todas as tarefas que seus maridos tentam realizar. Por exemplo, se o marido tenta vestir as crianças, a mulher fica dando palpites, dizendo que não está fazendo direito e mudando todas as peças que ele escolheu, desde os sapatos até o arco de cabelo. Se tira a louça da lavadora, reclama porque ele não guardou as tigelas e xícaras no lugar "certo". Se tenta fazer o jantar, entra na cozinha e começa a mexer as ervilhas porque elas já estavam quase queimando. Depois, começa a dar diversas ordens para ver se consegue "controlar" aquele quase desastre. Se o marido tenta lavar a roupa, ela fica aborrecida por uma semana porque ele lavou uma toalha felpuda com a sua saia. Sem mencionar o fato de que nunca dobra as toalhas direito. Ou talvez a mulher não verbalize suas reclamações. Talvez apenas fique calada e o expulsa da cozinha, ou da lavanderia, ou do canteiro do jardim.

O que acontece depois é espantoso. Diante dessas situações, a maioria dos homens adultos simplesmente se retrai e, então, pára de tentar ajudar. Quando a mulher se desdobra para fazer tudo, ela acaba ficando ressentida, e pensa: *Que tipo de homem consegue ficar calmamente deitado num sofá, vendo televisão, enquanto a mulher se mata de trabalhar?* Depois que o respeito vai embora, o casamento também acaba. E o romance? Nem se fala. Em vez do quarto pegar fogo, ele mal consegue se aquecer.

E aqui está um fato fascinante: Muitos homens são perfeitamente capazes de viver por si mesmos e cuidar de todas as tarefas domésticas, de um modo ou de outro. E vários deles faziam isso antes de se casarem! Por exemplo, quando os "maridos desajeitados" viviam sozinhos, passar a roupa era uma tarefa simples. Alguns, muitos espertos, aprenderam que, se colocassem as calças esticadas embaixo do colchão, no dia seguinte estariam quase passadas. Não, não é um serviço perfeito; mas a roupa fica apresentável. Porém, em muitos lares, se um marido tenta fazer algo desse tipo, a esposa assume uma postura de mãe, se irrita e insiste em fazer "como deve ser feito".

Quando uma mulher deixa de ser a esposa de seu marido e passa a ser sua mãe, o casamento está longe do que Deus planejou. Muitos homens razoáveis estão dispostos a ajudar nas tarefas domésticas, desde que lhes seja dada a permissão de cometerem erros e tenham suficiente liberdade e graça para aprenderem.

Já perdi a conta do número de vezes em que mulheres me disseram.

— Você não sabe a sorte que tem! Daniel a ajuda tanto com as crianças e a casa. Meu marido *nunca* faria isso tudo.

Geralmente, dou apenas um sorriso e digo alguma coisa, como:

— Tem razão. Ele é mesmo um homem extraordinário, não é?

Entretanto, na verdade, o senso de responsabilidade de meu marido em relação ao trabalho doméstico não tem nada a ver com sorte; mas com o fato de lhe dar *liberdade* e *graça* para ajudar como pode, e não ficar tentando "consertar" aquilo que ele faz. Nas últimas semanas...

- *Ao chegar à igreja, percebi que o vestido da nossa filha pequena estava virado ao contrário — e isso não aconteceu só uma vez, mas duas.* Foi meu marido que a vestiu. Então disse: "Louvado seja o Senhor! O homem tomou a iniciativa de vestir sua filha". E não reclamei nem uma vez.

- *Nosso filho foi para a igreja com a camisa meio amarrotada, porque devia ter sido passada antes que meu marido a vestisse nele.* Antes de sairmos, comentei:
  — A camisa do Brett não precisa ser passada?
  — Não. Acho que está bem assim — respondeu meu marido.

- Confesso que me senti tentada a tirar a camisa dele, jogar na tábua de passar roupa e dar um jeito nela. Mas, em vez disso, dei de ombros e disse:
  — É, você tem razão.
  E tinha mesmo!

- *Vi meu marido deixar cair quase um quilo de hambúrguer semi-assado no chão, quando tentava aprender a usar nossa nova churrasqueira.* Eu poderia ter dito:
  — Deixa que eu faço isso! Você não consegue fazer nada direito.
  Ou poderia fazer comentários ferinos sobre sua falta de habilidade. Em vez disso, não me importei e lhe entreguei mais carne. Nossos gatos adoraram o banquete!

- *Já perdi a conta do número de vezes em que o lixo ficou empilhado até que ele resolvesse colocá-lo na calçada.* Poderia explodir e ficar reclamando, enquanto levava o lixo para fora. Mas resolvi dizer a mim mesma que, afinal de contas, aquilo é só lixo e não vai ter a menor importância daqui a cem anos. Chego à conclusão que, quando ele se cansar de ver o lixo se acumulando, acabará tomando alguma providência. E sempre toma!

> *Encontrei as roupas de nossa filhinha muito bem dobradas em cima da mesa de jogo do quarto de nosso filho.* Poderia ter feito um escândalo, porque Daniel não colocou as roupas no quarto dela ou em cima de sua cômoda, mas não fiz. Pensei: *Bem, louvado seja Deus! Meu marido dobrou as roupas!* Depois de algum tempo, acabei levando as roupas para o quarto de nossa filha. Mas, enquanto não as levei, até que elas estavam bem à mão naquela mesa.

Muitos homens desajeitados não nasceram assim. Alguém os ensinou a serem dessa forma! Às vezes (mas nem sempre), a mãe começa o trabalho e a esposa continua de onde ela parou. Para resolver esse problema, a esposa-mãe precisa voltar atrás, parar de tratar seu marido como se fosse uma criança e deixar que ele seja um *homem*. Dê liberdade a seu marido para que ele possa dizer as palavras de 1 Coríntios 13.11 (ARA): "Quando eu era menino, falava como menino, sentia como menino, pensava como menino; quando cheguei a ser homem, desisti das coisas próprias de menino".

Acredito que, quando uma mulher permite que seu marido seja completamente dependente dela, como se fosse uma criança, ela adquire um certo poder sobre ele. Deste modo, em vez de ser uma relação saudável, de interdependência, o casamento se transforma num relacionamento de dependência, onde um cônjuge está "perdido" sem o outro. Se a mulher tem uma profunda necessidade de se sentir importante, o fato de perceber que seu marido é totalmente incapaz de fazer qualquer coisa sozinho é algo que lhe dá a sensação de estar satisfazendo essa necessidade.

No entanto, quando a esposa toma a decisão de dar liberdade e graça a seu marido, isso lhe proporciona uma sensação de liberação de tirar o fôlego. Se este é o seu caso, você terá mais respeito por seu marido, pois não o verá mais como uma criança indefesa. E quanto mais o enxergar como um adulto cheio da virilidade de um homem saudável, mais sua resposta sexual irá crescer. Além disso, você perceberá em pouco tempo que sua necessidade de ser valorizada será preenchida de uma forma nova e mais correta. Seu marido começará a tratá-la como sua amante e confidente, e menos como sua mãe. Aquela necessidade sufocante, que antes era pseudo-satisfeita através da criação de uma relação de dependência, será inundada pela realização conjugal, conforme a vontade de Deus.

Enquanto estiver no processo de quebrar o círculo vicioso da mãe-esposa, preste atenção ao seu marido e descubra exatamente em que áreas ele realmente precisa que você o complete. Por exemplo, Daniel pediu-me que o ajudasse a escolher suas roupas para o culto de domingo de manhã. Ajudá-lo nessa tarefa tão pessoal cria uma grande intimidade entre nós, porque estou suprindo suas *verdadeiras* necessidades. Nos últimos anos, falhei muito nessa questão, fazendo justo o oposto do que deveria, sem completar meu marido da forma como ele precisava. Meu pensamento era: *Ele já está crescidinho. Pode muito bem fazer isso sozinho.* Nunca andei atrás dele tentando controlar suas investidas no campo das tarefas domésticas. Todavia, acabei perdendo algumas bênçãos porque não percebi que poderia ser de grande ajuda em sua vida, completando-o onde ele *realmente precisava* do meu toque.

Há muitas mulheres que criaram falsas necessidades na vida do marido e acabaram convencidas de que os homens não conseguem fazer nada sem elas. Esse tipo de mulher faz tudo para o marido, menos escovar seus dentes e abotoar-lhe a camisa. Se você é do tipo mãe-esposa, talvez seja difícil perceber quais são as verdadeiras necessidades de seu marido, e quais as que você mesma criou nele. A solução é fazer apenas o que ele não pode fazer sozinho por falta de conhecimento ou habilidade. Cada pessoa é de um jeito e, por isso, não é possível fazer uma lista rígida de tarefas que ele pode realizar. Alguns homens cozinham muito bem. Outros não conseguem ferver água sem queimar a panela. Se seu marido é deficiente físico, sua lista será diferente da de uma mulher cujo marido não tem deficiência alguma.

Você pode estar pensando: *Ora, estamos seguindo este padrão há 25 anos, e ele funciona bem conosco. É a nossa maneira de viver o casamento.* Na minha opinião, está tudo bem, contanto que:

1. Bem lá no fundo, você não se ressinta de seu marido ser tão dependente.

2. Você não queira que ele ajude mais porque acha que jamais o faria. Você está contente com a situação.

3. A dependência dele em relação a você não faça com que o veja como um inepto.

4. Você não use essa situação para controlar todos os movimentos de seu marido.

Se você tem tendência de ser controladora, tenha força de vontade. A mudança leva tempo. Se está disposta a deixar de ser a mãe de seu marido e passar a ser sua esposa, então as seguintes sugestões podem ajudá-la:

Com todo o carinho, peça a seu marido que a ajude em tarefas específicas. Abrace seu marido e diga algo como: "Benzinho, seria uma grande ajuda para mim se você pudesse fazer _____". Depois, dê-lhe um beijo bem gostoso. A maioria dos homens atende prontamente a um pedido feito da maneira certa. Se você tem sido uma segunda mãe para ele por muito tempo, então comece com tarefas fáceis e que não sejam de importância crucial. Assim, se ele não cumprir a tarefa, o teto não cairá na cabeça de ninguém. Por exemplo, digamos que seu amado costuma deixar suas roupas espalhadas pela casa e você pede que ele as coloque no cesto de roupa suja. Se não colocar e um belo dia descobrir que não tem roupa limpa para vestir, o mundo não vai acabar por causa disso. É claro que ele ficará irritado. Mas, se isso acontecer, sorria e diga: "Mas você concordou em colocar sua roupa suja dentro do cesto, lembra?"

Depois, dê-lhe outro beijo e volte a fazer o que estava fazendo. Não diga mais nada.

Não faça você mesma a tarefa — mesmo que ele a deixe sem fazer por vários dias... ou quem sabe anos. Este é outro motivo para começar com tarefas pequenas. Se você é do estilo esposa-mãe, seu marido já está acostumado a vê-la andando atrás dele e terminando tudo o que deixa pela metade. Portanto, ele pode concordar alegremente em fazer o que você pediu e depois voltar ao velho comportamento habitual, sem nenhuma intenção de magoá-la. Isso ocorre porque já está acostumado a ver você tomar a dianteira, afinal foi você mesma que fez com que ele aprendesse a ser assim. Portanto, se fizer a tarefa que lhe pediu para fazer, estará reforçando o velho círculo vicioso. Por exemplo, ele pode comprar mais cuecas, em vez de colocar as sujas no cesto. Tudo bem. Empilhe as sujas num canto do quarto. Aquelas roupas são *dele* e ele é *adulto*. Garanto que cuidava direitinho de suas cuecas e meias antes de conhecer você. Se acabar ficando com muitas cuecas porque está sempre comprando mais, tudo bem! Todo mundo precisa mesmo. Se seus amigos chegarem na sua casa e virem a pilha de roupa suja, o que tem demais? Elas são do *seu marido*! Se quer que seus amigos vejam suas cuecas usadas, o problema é *dele*. Deixe que ele seja adulto! Meu marido e eu resolvemos esse problema. No nosso quarto existe um cesto onde ele coloca suas roupas. Meu esposo não deixa suas cuecas espalhadas pela casa de jeito nenhum, mas gosta de colocá-las no cesto — tanto as sujas quanto as limpas. Entendo que as roupas são dele, e pode fazer o que quiser com elas. De vez em quando, fica sem nenhuma camisa ou calça limpa para usar. Quando isso acontece, põe suas roupas perto da máquina para serem lavadas, ou ele mesmo as lava.

Não fique importunando seu marido por causa das tarefas que lhe pediu para fazer. Esta é outra característica da esposa-mãe. Os homens odeiam quando as mulheres ficam atrás deles reclamando de alguma coisa. O que se consegue com isso? Deixá-los irritados e aborrecidos conosco. E há algo que, por causa dessa questão, impede a intimidade do casal. Quando este finalmente tem uma chance de fazer sexo, a mulher está aborrecida com o marido porque ele não faz "nada" que pede, e o marido está aborrecido com a esposa porque só vive resmungando. A propósito, também nunca encontrei uma mulher que goste de ficar ouvindo reclamações do marido.

Quando seu marido finalmente se decidir a realizar a tarefa, não critique a maneira como ele faz as coisas. Não o irrite. Não faça comentários — a não ser para agradecer sua ajuda e elogiar seu esforço. Também não custa nada dar um beijinho maroto e um abraço de agradecimento.

Quando um pensamento do tipo "Meu marido não sabe fazer nada" passar pelo seu pensamento, mande-o embora. Lembre-se de que ele é um homem crescido, e não é indefeso. Diga para si mesma: "Ele é meu amante, confidente e amigo. Eu *vou* respeitá-lo e tratá-lo como adulto!"

Baseie seu respeito nas qualidades de caráter dele, e não em suas habilidades ou dificuldades domésticas. Por exemplo, algumas mulheres acham difícil respeitar um homem que deixa suas roupas sujas empilhadas num canto. Porém, este mesmo homem pode ter excelentes qualidades, como "caridade, gozo, paz, longanimidade, benignidade, bondade, fé, mansidão, temperança" (Gl 5.22). O respeito que você tem por seu marido deve estar baseado nos bons traços de seu caráter.

Não se esqueça: "liberdade e graça!" Lembre-se de que Jesus nos dá abundante graça e muita liberdade para cometermos nossos erros. Quando cometemos algum erro e pedimos sua ajuda, Ele nos dá mais graça para superarmos nosso fracasso! *Seja como Cristo na vida de seu marido!*

À medida que ele for deixando de ver você como sua esposa-mãe, passará a fazer cada vez mais coisas. Deixe que ele faça! Quando seu amado disser: "Benzinho, hoje vou te dar uma folga na cozinha. Vou fazer um churrasco para nós", responda: "Que ótimo!"

Então, deite-se na rede e tire a noite de folga. Não repita aquele velho esquema da história de churrasco apresentada no início deste capítulo. Com certeza, os tomates não estarão cortados do jeito que você corta, e o refresco pode estar mais doce que o normal, mas deixe seu marido ser um adulto e fazer as coisas à maneira *dele*. Depois, cubra-o de elogios! E lembre-se: a perfeição vem com a prática.

Pense nas coisas que seu marido faz. Embora meu esposo faça muitas tarefas, ainda assim existem noites em que estou exausta e tenho de enfrentar uma pia cheia de louça, enquanto ele assiste à televisão. Nessas horas, procuro lembrar-me das coisas que meu marido faz para me ajudar. Como Daniel realmente cuida de algumas tarefas dentro de casa, isso acaba com a minha tentação de ficar aborrecida com ele. Se você está apenas começando a quebrar o padrão de esposa-mãe, e seu amado já começou a fazer uma tarefa sozinho, procure lembrar-se desse progresso.

Lembre-se de que esse padrão pode levar um ano ou dois para ser quebrado. Não espere mudar uma situação que já existe há décadas logo na primeira semana! Isso leva tempo, principalmente se a mãe dele e/ou a sua seguiam o padrão da esposa-mãe. Lembre-se... *liberdade e graça!*

Tome agora a decisão de não dizer mais nenhuma palavra de reclamação a seu marido — mesmo que pareça impossível quebrar o padrão. Se você exibir um constante ar de crítica, isso irá envenenar seu casamento, estragar a atmosfera de seu lar e destruir qualquer chance de romance e de uma vida sexual plena.

Não defina "quebrar o círculo vicioso" como "meu marido faz o que eu quero". Quebrar o círculo significa que você deixa de agir como se fosse a mãe de seu marido e passa a dar-lhe a liberdade de tomar suas próprias decisões. Isso significa que, se ele quer deixar suas cuecas e meias no chão do quarto por dois anos, você não irá interferir. O quarto do casal é tão seu quanto dele.

Se você tem sido uma esposa-mãe, prepare-se para uma mudança no relacionamento com sua sogra quando conseguir quebrar esse padrão. A mudança pode ser negativa ou positiva. Se você e sua sogra têm travado uma batalha silenciosa para saber quem é a mãe de seu marido, então, quando se transformar numa esposa-amante, sua sogra terá liberdade para assumir plenamente seu papel de mãe. E a guerra acabará!

Porém, se sua sogra acha que a única esposa que presta é a esposa-mãe, com certeza vai ficar aborrecida com sua mudança de comportamento. Mas, *geralmente*, quando a esposa permite que a sogra exerça sua função de mãe, e até pede seus conselhos de vez em quando, ela ronrona igual a uma gatinha.

Neste momento, estou trabalhando no computador. Meu marido pôs as crianças para dormir, para que eu pudesse trabalhar. Será que as colocou na cama exatamente como eu faria? Não. Será que as fez escovar os dentes como eu teria feito? Não. Será que a minha menina está dormindo com a roupa de sair em vez da camisola? Provavelmente, sim.

Se fosse uma esposa-mãe, teria me sentado para trabalhar, mas ficaria de ouvido em pé para saber o que meu marido estava fazendo de "errado". Então, quando ouvisse o "protesto inevitável" das crianças, me levantaria da cadeira e, com ar de importância, diria: "Se eu não fizer as coisas, ninguém faz nada direito por aqui!"

Depois, sairia marchando do meu escritório, resmungando o tempo todo, enquanto corrigia tudo que meu marido tinha feito de "errado". As crianças escovariam os dentes outra vez, do *meu* jeito (mas não necessariamente melhor que antes), e minha filha estaria vestindo a camisola, não uma roupa de sair. Por outro lado, também estaria mais atrasada no meu cronograma de trabalho e aborrecida com meu marido, por ele não me dar o apoio de que preciso. É bem provável que estaria pensando algo como: *Eu cuido das crianças e da casa o dia inteiro para que ele possa trabalhar. Por que ele não pode fazer o mesmo por mim? Não estou pedindo tanto. Só um pouco de respeito. Eu não sou escrava dele!*

E meu marido? Se fosse uma esposa-mãe, a essa altura ele teria feito o que muitos homens fazem: teria ido para cama e, quando eu acabasse de "fazer tudo direito", já estaria no quinto sono. Então, eu entraria no nosso quarto, colocaria as mãos na cintura, ficaria com muita raiva de vê-lo ali dormindo, e pensaria: *Não sei se me casei com um homem ou arranjei um filho para criar!*

E isso é o que se chama ativar a síndrome do marido-filho.

No entanto, como eu não sou uma esposa-mãe, não fiz nada disso nessa noite. Deixei meu marido tomar conta dos *seus* filhos como achasse melhor. O mundo não acabou porque ele ficou até tarde vendo TV com eles. O dentista não derrubou a porta de casa porque meu marido não escovou os dentes das crianças do *meu* jeito. E minha garotinha não precisou consultar um psicólogo porque dormiu com roupa de sair. É isso que significa liberdade e graça.

O resultado disso é que meu marido me trata como sua amante, e não como sua mãe. Enquanto preparava as crianças para dormir, ele fez uma pausa e passou pelo meu escritório. Segurando uma escova de dente com formato de carro de corrida numa das mãos, ele perguntou:

— Você já abriu sua caixa de e-mail hoje?

— Ainda não — respondi. — Mas posso dar uma olhada agora mesmo.

Tinha quase certeza de que Daniel tinha me enviado um cartão virtual pelo correio eletrônico, e estava certa! O cartão mostrava um casal caminhando pela praia, ao pôr-do-sol. A legenda dizia: "O êxtase do nosso amor são os momentos que passamos juntos".

A melodia de fundo era a conhecida canção de Stevie Wonder, *I Just Called to Say I Love You* (Eu só Liguei para Dizer que te Amo). E ele ainda escreveu estas palavras:

> Oi, Bela...
> Eu só queria dizer o quanto me diverti hoje. Você é maravilhosa! Que tarde gostosa!!! Espero que tenha gostado de sua soneca; com certeza, senti sua falta enquanto você estava tendo seu sono de beleza. Mas é melhor tomar cuidado para não dormir demais, porque se ficar muito mais bonita do que já é, pode ser perigoso para mim. Afinal, preciso ficar de olho na estrada quando vamos para Indiana.
> Eu te amo!
> DWS

UAU!!!!!!!!!!!!
É nisso que dá ser uma esposa-amante!

Uma esposa-amante...

- Permite que seu marido seja um homem.

- Não o critica nem o humilha.

- Trata-o com igualdade.

- Não espera que seja um expert nas tarefas domésticas, mas aprecia o que ele faz.

- Baseia o respeito que tem por seu marido no caráter dele, e não no seu desempenho.

- Não reclama.

- Vê a si mesma como igual a seu marido.

- Sabe que o lar pertence igualmente a ambos. Respeita-o como co-proprietário da casa e permite que ele seja autêntico e tenha controle sobre aquilo que lhe pertence, dentro de sua própria casa.

- Faz tudo o que estiver ao seu alcance para capacitar seu marido em todas as áreas.

- Expressa amorosamente sua gratidão por receber ajuda com as tarefas domésticas, e depois dá ao marido liberdade e graça para fazer as coisas a seu modo.

- Nunca reclama do que ele fez.

- Expressa satisfação por cada tarefa que seu marido faz para ajudá-la.

- Lembra-se sempre de tudo o que ele faz por ela.

- Não toma o lugar de sua sogra como mãe de seu marido.

- Permite que seu esposo seja o filho de sua sogra (ele precisa demonstrar lealdade e respeito por sua mãe, dando-lhe apoio e ajuda, principalmente se o pai já é falecido). Uma esposa-amante não compete com sua sogra nem se sente ameaçada quando o marido passa tempo com a mãe.

Forte, gentil, carinhoso e amoroso és tu,
Meu príncipe encantado em armadura reluzente.
E, ainda que uma nuvem escura por vezes esmoreça
O nobre brilho da tua armadura,
Tu estás sempre ali — firme, quieto e fiel.
Âncora minha, amigo meu, amor de minh'alma.
O que faria eu sem ti?
Ah, sem ti! Quão vazia minha vida seria...
Forte, gentil, carinhoso e amoroso és tu!

Aplicando a Teoria

O Aspecto Pessoal

Preciso confessar algo muito profundo e grave. Apanho as meias sujas do meu marido. Em qualquer casamento, sempre existem umas manias pessoais que fazem com que os cônjuges tenham de servir um ao outro em tarefas prosaicas. Meu marido, por exemplo, tem sempre de fechar a porta do meu armário e apagar a luz, porque, aparentemente, meu cérebro não foi programado para realizar essas tarefas simples. É nesse ponto que o "espírito de serviço" e amor incondicional edificam um casamento. Sim, há momentos em que levo uma xícara de café para o meu marido, embora ele seja perfeitamente capaz de fazer isso sozinho; todavia, Daniel também faz isso para mim. Não sou uma esposa-mãe, de modo que tenho toda a liberdade de escolher servir ao meu esposo em amor e respeito. Da mesma forma, ele também tem essa opção.

O Conceito

Este capítulo não defende o princípio de que o marido e a esposa não devem servir um ao outro. O crucial num casamento é que o casal tenha uma atitude correta em relação ao serviço. É preciso haver equilíbrio. Se a mulher faz todo o serviço, ela se torna uma esposa-mãe. No entanto, este padrão de relacionamento não se baseia no amor cristão; mas no controle. Ironicamente, a esposa-mãe em geral resiste a qualquer tentativa do marido para ajudá-la, porque isso o torna menos dependente dela. Contudo, se o homem e a mulher estão vivendo numa cumplicidade mútua de submissão e serviço, ambos são livres para serem adultos e ajudarem um ao outro. Este amor incondicional não guarda nenhum registro de pontos, para saber se uma pessoa está fazendo o mesmo número de tarefas que a outra. Winston Churchill disse: "Os ingleses não conseguem traçar uma linha sem borrá-la". Isso também se aplica a casais que aprendem a fazer concessões. "Quando marido e mulher acreditam que igualdade significa dividir as coisas exatamente no meio, o casamento se transforma numa disputa para saber quem consegue um quinhão melhor."[2]

O Aspecto Espiritual

Você pode achar que se transformando na mãe de seu marido estará obedecendo ao ensinamento de Paulo sobre a submissão da mulher ao marido. Mas, na verdade, o que acontece é justamente o contrário. Quando uma mulher assume a mentalidade da esposa-mãe, passa a mimar seu marido. Ela o vê como uma criança indefesa, e não como um homem crescido. Com essa disposição mental, sua total submissão ao marido será afetada. A esposa pode conseguir se submeter a ele até certo ponto, apoiando abertamente suas decisões e tentando suprir suas necessidades sexuais, mas não no grau que o Senhor requer de *ambos* os cônjuges. É difícil respeitar o marido quando o vemos como uma pessoa incapaz. (Veja no capítulo 4 um estudo detalhado sobre a verdadeira submissão bíblica).

Pontos Importantes na Oração pelo Romance

Se você é uma esposa-mãe...

Ore para que o Senhor lhe dê forças a fim de entregar seu marido nas mãos de Deus.

Ore para que Deus elimine qualquer medo de mudança, substituindo-o pela certeza da presença do Senhor.

Ore por seu marido, para que ele possa entender sua transição de esposa-mãe para esposa-amante, e perceba que você está se esforçando a fim de edificar seu casamento.

Peça paciência para permitir que algumas tarefas fiquem por fazer.

Peça que o Senhor capacite você a dar liberdade e graça a seu marido.

Idéias Românticas

*Não temerá, por causa da neve,
porque toda a sua casa anda forrada de roupa dobrada.*
Provérbios 31.21

O que Fiz

Arrumei o armário de Daniel, doei a maior parte de suas roupas para obras sociais — com sua permissão — e, depois, comprei-lhe outras. No início do nosso casamento, tentei comprar roupas para ele, mas não fazia a menor idéia do seu gosto. Geralmente, meu marido não vestia o que eu comprava, ou porque não lhe caía bem, ou porque não era do tamanho certo. Chegou uma hora em que parei de tentar. Depois de quase duas décadas morando com ele, finalmente tenho uma idéia do que lhe agrada. Primeiro, comprei algumas roupas básicas na seção masculina de uma boa loja de departamentos. Para as peças mais sofisticadas, como ternos, gravatas, camisas e meias, fui até uma loja especializada e expliquei ao vendedor quais eram as nossas atividades profissionais e sociais, e qual o tipo de roupa que desejava comprar. Ele foi extremamente atencioso e ajudou-me a escolher artigos de qualidade que fossem modernos e estivessem de acordo com o gosto de Daniel.

O Motivo

O guarda-roupa de Daniel precisava urgentemente de uma reforma. Ele tinha se sacrificado bastante por mim — dando-me todo o apoio enquanto fazia meu mestrado e acreditando em mim durante os oito anos em que batalhei muito, tentando estruturar minha vida de escritora. Após oito anos de rejeição, minha carreira deslanchou, de modo que queria gastar uma boa quantia de dinheiro comprando um presente para ele, como uma forma minúscula de demonstrar minha gratidão pelo apoio que ele tinha dado a mim e aos meus sonhos. Por muitos anos, tínhamos feito sacrifícios e usado as roupas que conseguíamos comprar em liquidações e bazares. Eu realmente queria que ele se sentisse mimado.

Como me Senti

Durante todo o tempo em que estive fazendo compras, tive a sensação de que o Senhor estava bem ali ao meu lado. Se Deus, alguma vez, mandou alguém fazer compras, com certeza foi aquela. Tinha absoluta convicção de que estava fazendo o que era certo. Preciso dizer algo: fazer compras para Daniel me deu muito mais prazer do que fazer para mim mesma.

Obstáculos que Tive de Vencer

Minha filha de quatro anos esteve comigo durante a maior parte das compras. Ela estava cansada e ficava reclamando, pedindo colo e demonstrando sua irritação por ter de ficar quieta durante horas em lojas de artigos masculinos — lugares que não tinham absolutamente nada de interessante para uma criança pequena! Entretanto, estava decidida a levar adiante meu projeto de colocar as necessidades de meu marido em primeiro lugar, e não desisti dos meus planos. Graças a Deus, os vendedores foram compreensivos. E, afinal, tinham mesmo de ser, pois deixei uma quantia generosa na loja!

A Reação dele

O ponto alto das compras foi quando levei os pacotes para casa. Meu marido sabia que eu havia planejado ir às lojas de moda masculina e chegou meio ansioso para ver o que havia comprado. Mas ele não tinha certeza se eu havia conseguido sair como prometera, porque a vida de uma mãe de crianças pequenas é bastante imprevisível. Quando perguntou sobre as compras, sorri radiante e o levei até o nosso quarto. Ele ficou absolutamente encantado quando viu a cama coberta de roupas!

O que Gostaria de Ter Feito

Gostaria de ter compreendido, há muitos anos, que Daniel precisava que eu o completasse neste aspecto de sua vida. No nosso caso particular, o fato de ter comprado para meu marido um "guarda-roupa" completo foi uma demonstração clara de minha profunda afeição por ele. Costumava pensar: *Ora, ele é adulto; pode muito bem comprar roupas para si mesmo.* Embora isso fosse verdade, esta era uma área especial em que podia ajudá-lo. De fato, é muito divertido quando um homem precisa que sua esposa lhe dê uma mãozinha com seu guarda-roupa e ela concorda em ajudá-lo de boa vontade. A propósito, quando Daniel escolhe a roupa que vai vestir, *nunca* lhe digo para mudar isso ou aquilo, a menos que ele peça minha opinião.

Cortando Gastos

Esta iniciativa foi bem cara. Muitos casais com crianças pequenas simplesmente não têm dinheiro para isso. Se eu lesse esta seção cinco anos atrás, teria pensado: *Fala sério! Quem tem dinheiro para isso?* Se você não pode comprar um guarda-roupa inteiro, tente economizar algum dinheiro para comprar um terno, ou uma peça de vestuário, ou alguma outra coisa que você saiba que ele vai adorar. Se está desempregada, guarde um pouquinho todo mês até juntar o suficiente para uma compra especial. O sacrifício será plenamente recompensado quando você vir o olhar de encantamento do seu marido. Porém, dê o presente num dia qualquer — não no Natal ou no aniversário dele.

Observação Especial

Um pastor amigo meu contou-me recentemente que é ele quem compra as roupas de sua mulher. Ele faz exatamente o que fiz por Daniel. Meu amigo vai a uma boa loja de roupas femininas e procura uma vendedora que já conhece. Ela o ajuda a escolher as roupas de que sua mulher precisa para usar no ministério e em suas viagens. Esse pastor gosta de comprar roupas novas para sua esposa, e ela adora a ajuda que ele lhe dá nesta área. Esta história ilustra bem o fato de que, num casamento bem ajustado, marido e mulher devem procurar formas adequadas de suprir as necessidades um do outro, sejam elas quais forem.

4
O Segredo do Amor

Sujeitando-vos uns aos outros no temor de Deus.

Efésios 5.21

Não Toque nessa Página!

Francamente, se estivesse lendo este livro, em vez de escrevê-lo, daria uma olhada no versículo-chave e reviraria os olhos. *Lá vem outra pessoa com essa história de submissão!* Já ouvi opiniões desequilibradas sobre este assunto em quantidade suficiente para a vida inteira. Então, antes de prosseguirmos, deixe-me assegurar-lhe de que aquelas mensagens subservientes e tendenciosas que, provavelmente, lhe foram ensinadas, não são o que você vai ler neste capítulo.

Já li e ouvi inúmeras pessoas que põem a culpa de todos os problemas do casamento e da manutenção do lar na falta de submissão da esposa. Além disso, fico doente quando vejo mulheres saindo de conferências completamente convencidas de que são o problema principal de seus matrimônios. À primeira vista, uma visão tendenciosa da submissão pode parecer bíblica. As palavras soam como verdades sagradas. Afinal de contas, o Novo Testamento *de fato* diz que as esposas devem se submeter a seus maridos. No entanto, uma análise mais profunda mostra que esta visão polarizada da submissão acaba com a vitalidade do casamento, não deixando lugar para uma sexualidade sadia ou mesmo um pouquinho de romance sincero.

Os problemas neste terreno escorregadio surgem quando os versículos-chave sobre submissão são tirados de seu contexto e analisados sem levar em conta todas as passagens que se referem ao casamento e aos relacionamentos em geral. Este método tem sido usado com freqüência para justificar o rebaixamento, a dominação e a depreciação das mulheres, ignorando completamente vários versículos bíblicos importantíssimos...

> E houve também entre eles contenda sobre qual deles parecia ser o maior. E ele lhes disse: Os reis dos gentios dominam sobre eles, e os que têm autoridade sobre eles são chamados benfeitores. Mas não sereis vós assim; antes, o maior entre vós seja como o menor; e quem governa, como quem serve. Pois qual é maior: quem está à mesa ou quem serve? Porventura, não é quem está à mesa? Eu, porém, entre vós, sou como aquele que serve (Lc 22.24-27).

> Porque, pela graça que me é dada, digo a cada um dentre vós que não saiba mais do que convém saber, mas que saiba com temperança, conforme a medida da fé que Deus repartiu a cada um. Porque assim como em um corpo temos muitos membros, e nem todos os membros têm a mesma operação, assim nós, que somos muitos, somos um só corpo em Cristo, mas individualmente somos membros uns dos outros (Rm 12.3-5).

> Nada façais por contenda ou por vanglória, mas por humildade; cada um considere os outros superiores a si mesmo. Não atente cada um para o que é propriamente seu, mas cada qual também para o que é dos outros. De sorte que haja em vós o mesmo sentimento que houve também em Cristo Jesus, que, sendo em forma de Deus, não teve por usurpação ser igual a Deus. Mas aniquilou-se a si mesmo, tomando a forma de servo, fazendo-se semelhante aos homens; e, achado na forma de homem, humilhou-se a si mesmo, sendo obediente até à morte e morte de cruz (Fp 2.3-8).

Vós, maridos, amai vossa mulher, como também Cristo amou a igreja e a si mesmo se entregou por ela [...]. Assim devem os maridos amar a sua própria mulher como a seu próprio corpo. Quem ama a sua mulher ama-se a si mesmo (Ef 5.25,28).

Sujeitando-vos uns aos outros no temor de Deus (Ef 5.21).

Portanto, tudo o que vós quereis que os homens vos façam, fazei-lho também vós, porque esta é a lei e os profetas (Mt 7.12).

A caridade é sofredora, é benigna; a caridade não é invejosa; a caridade não trata com leviandade, não se ensoberbece, não se porta com indecência, não busca os seus interesses, não se irrita, não suspeita mal; não folga com a injustiça, mas folga com a verdade; tudo sofre, tudo crê, tudo espera, tudo suporta. A caridade nunca falha; mas, havendo profecias, serão aniquiladas; havendo línguas, cessarão; havendo ciência, desaparecerá (1 Co 13.4-8).

À luz desses versículos, não há fundamento para se considerar um sexo mais responsável do que o outro, no que se refere à submissão. De acordo com H. Norman Wright, "um marido amoroso deseja dar tudo o que for necessário para preencher a vida da sua mulher. O seu amor está pronto a fazer qualquer sacrifício para o bem de sua amada. A responsabilidade primeira do homem é para com sua mulher. O amor que sente por sua esposa o capacita a entregar-se por ela".[1] O dicionário Webster define *submissão* desta forma: "Oferecer-se *por vontade própria*". Tiago escreveu: "... assim também a fé sem obras é morta" (Tg 2.26b). O amor sem submissão também está morto.

A submissão é uma via de mão dupla. De acordo com o Dr. Stan Toler, "chegou o momento de termos uma visão equilibrada sobre submissão. Nenhum casamento se manterá saudável sem altas doses de submissão, tanto do marido quanto da mulher". De acordo com a *Quest Study Bible*, "um espírito submisso vai contra os valores da sociedade, e sempre foi assim. Contudo, este continua sendo o padrão de Deus para todos os cristãos — homens ou mulheres — em todos os tempos".[2] A Bíblia realça esta verdade, dizendo aos crentes, inclusive maridos e esposas, que devem se submeter às necessidades um do outro. Lawrence Richards afirma o seguinte: "Com muita freqüência, os debates modernos tem sido focados nas questões erradas. Até onde vai a autoridade do marido? O quanto deve a esposa se submeter? A esposa pode trabalhar contrariando a vontade de seu marido? O marido tem o direito de disciplinar (ou surrar) sua esposa? Paulo argumenta que, dentro da igreja, cada pessoa, qualquer que seja seu papel na sociedade, tem um débito de submissão para com as outras. Este débito só pode ser pago através de um *compromisso mútuo* em todos os relacionamentos. A mulher tem deveres para com seu marido, mas o marido tem o dever de amá-la com um amor que considera as necessidades dela tão importantes quanto as suas e o crescimento e desenvolvimento dela mais importantes que o seu".[3]

Quando questionado a respeito do matrimônio, Jesus Cristo ressaltou as verdades contidas nesses princípios, relembrando o plano inicial de Deus para o casamento: "Disse-lhes ele: Moisés, por causa da dureza do vosso coração, vos permitiu repudiar vossa mulher; mas, ao princípio, não foi assim" (Mt 19.8). No início, Deus disse: "Portanto, deixará o varão o seu pai e a sua mãe e apegar-se-á à sua mulher, e serão ambos uma carne" (Gn 2.24). Após a queda, Deus falou sobre as conseqüências do pecado, dizendo à mulher: "... e ele (teu marido) te dominará" (Gn 3.16). No entanto, Jesus veio para nos libertar da mente carnal. Ele veio para nos libertar espiritualmente do pecado de Adão e Eva. E, quando questionado sobre o casamento, nos mostrou o caminho que Deus originalmente havia preparado para marido e mulher. Qualquer homem cristão que acredita que parte de sua missão consiste em controlar a vida de sua mulher compromete a própria essência do amor incondicional (*ágape*) de Cristo. Um homem que ama tanto sua mulher a ponto de morrer por ela, jamais a oprimiria. Ao longo das Escrituras, vemos Jesus lavando os pés dos discípulos, servindo aos outros e restaurando relacionamentos. Ele é o modelo para maridos e mulheres.

Gênesis 2.18 narra a decisão de Deus de criar uma adjutora para Adão. A palavra "adjutora" seria mais bem traduzida como "uma força como ele, frente a ele", diz o pesquisador da Bíblia Joseph Coleson.[4] A *Reflecting God Study Bible* apóia esta interpretação: "A idéia da palavra adjutora não implica subordinação; na realidade, é mais freqüentemente usada referindo-se ao próprio Deus (Sl 33.20; 70.5; 121.2)". Deus criou o homem e a mulher para serem iguais, com o mesmo valor, para se unirem um ao outro como marido e mulher, cada um pondo de lado suas próprias necessidades em favor do outro (Gn 2.24). Agostinho afirmou: "Se Deus quisesse que a mulher comandasse o homem, a teria formado a partir da cabeça de Adão. E se Ele desejasse que ela fosse sua escrava, a teria formado a partir de seus pés. Mas Deus a formou a partir do seu lado, pois a criou para ser sua companheira e igual a ele".[5] Esta é a razão pela qual Paulo escreveu: "Vós, maridos, amai vossa mulher, como também Cristo amou a igreja e a si mesmo se entregou por ela" (Ef 5.25).

Submissão desigual no casamento é algo incompatível com as verdades básicas do evangelho, que repetidamente exorta homens e mulheres a morrerem para o pecado, serem crucificados com Cristo, permitirem que Deus transforme suas mentes e considerarem os outros superiores a si mesmos. Paulo escreve: "Já estou crucificado com Cristo; e vivo, não mais eu, mas Cristo vive em mim; e a vida que agora vivo na carne vivo-a na fé do Filho de Deus, o qual me amou e se entregou a si mesmo por mim" (Gl 2.20).

Tanto os homens quanto as mulheres
foram criados à imagem de Deus.
Quando desprezamos um ao outro por causa do gênero,
estamos desprezando alguém que foi criado à imagem de Deus.
Isto significa que, em essência,
estamos desprezando o próprio Deus.

Apesar das evidências em contrário, muitas pessoas usam a Bíblia para "justificar" seus preconceitos contra o sexo oposto. É muito comum ouvirmos palestras onde somente partes selecionadas das Escrituras são escolhidas para apoiar atitudes de dominação. Costumava sair dessas reuniões sentindo-me diminuída e desvalorizada aos olhos de Deus. Todavia, embora fique perplexa diante dessas situações e acredite que atitudes de opressão insultam a Escritura, tenho de reconhecer que as mulheres também são culpadas de extremismo.

Chauvinismo feminino, chauvinismo masculino, preconceito racial/cultural e esnobismo econômico são ramos da mesma árvore — uma árvore chamada egoísmo. Esse sentimento espalha suas raízes venenosas pelo solo do casamento e destrói seu alicerce. Algo que me perturba tanto quanto ver homens tentando validar seu radicalismo através de distorções da Palavra de Deus é ver mulheres que adotam a postura "abaixo os homens", na tentativa de serem superiores a eles ou supercompensar o machismo. O fato do conceito de submissão muitas vezes ser ensinado de uma forma desequilibrada não anula a Palavra de Deus. A Bíblia realmente ensina que a esposa deve ser submissa a seu marido. Além disso, a má interpretação da submissão não pode servir de justificativa para se criar uma versão feminina do chauvinismo masculino. Tenho visto este tipo de sentimento se manifestar entre as mulheres cristãs de várias formas:

- Revirar os olhos e dizer: "Isso é mesmo coisa de homem".

- Contar anedotas que ridicularizam os homens.

- Desonrar o marido, zombando de suas necessidades.

- Tratar o marido como se fosse criança.

- Tentar controlar e dominar o marido.

- Acreditar que as mulheres são, realmente, superiores aos homens.

- Sentar-se com as amigas para mais uma sessão de "Vamos falar mal dos homens".

- Não respeitar e honrar o marido.
- Depreciar as decisões, os sonhos e a masculinidade do marido.
- Criticar o marido na frente dos filhos e amigos.
- Não fazer suas críticas construtivas em particular e de forma amorosa.
- E, da boca das meninas, ouvi esta *pérola*: "Garotas mandam, garotos babam".

Bem, chegou a hora de ser muito honesta com você: eu mesma sou culpada de vários desses erros. Entretanto, Deus, em sua misericórdia e amor, fez comigo o que reserva apenas para suas filhas de temperamento mais obstinado. Foi como se Ele me levasse a um estádio de futebol, fizesse um gol de placa e depois dissesse pelo alto-falante:

— Agora que consegui chamar sua atenção, tenho uma coisa a dizer: *Pare com esse chauvinismo feminino!*

E eu parei.

O chauvinismo é a antítese da submissão e do amor de Deus. Ele não coexiste com o amor incondicional. Como já disse no capítulo 1, as principais necessidades afetivas de marido e mulher são amor incondicional e aceitação.[6] Como casais crentes, o Senhor nos exorta a ocupar uma posição superior, onde Ele é Senhor e honramos, valorizamos e respeitamos um ao outro como co-herdeiros do reino de Deus: "Nisto não há judeu nem grego; não há servo nem livre; não há macho nem fêmea; porque todos vós sois um em Cristo Jesus" (Gl 3.28).

Agora, pare um minuto e pense nas maneiras como seu marido expressa sua submissão a você. Aqui está minha lista...

- Durante anos, meu marido deu-me apoio para que eu terminasse a faculdade. Depois, continuou a me ajudar para que eu pudesse construir uma bem-sucedida carreira de escritora, com minha própria empresa doméstica.

- Ele larga tudo que estiver fazendo para me socorrer, quando um pneu do carro fura.

- Ele me empresta sua colher para que possa comer um pouquinho do seu sorvete na lanchonete (porque não quero um inteiro, apenas um pedacinho do *dele*).

- Às vezes, ele se oferece para passar minha blusa, no domingo de manhã.

- Ele não se insinua para fazer sexo quando sabe que não estou me sentindo muito bem.

- Ele não reclama se estou com um prazo apertado e decido "cozinhar" sanduíches para o jantar. Melhor ainda: às vezes, ele mesmo faz o jantar ou encomenda uma pizza.

O que Submissão Tem a Ver com Romance?

> Semelhantemente, vós, mulheres, sede sujeitas ao vosso próprio marido, para que também, se algum não obedece à palavra, pelo procedimento de sua mulher seja ganho sem palavra, considerando a vossa vida casta, em temor. O enfeite delas não seja o exterior, no frisado dos cabelos, no uso de jóias de ouro, na compostura de vestes, mas o homem encoberto no coração, no incorruptível trajo de um espírito manso e quieto, que é precioso diante de Deus (1 Pe 3.1-4).

De acordo com esses versículos, submissão é influência, beleza, e tem grande valor para Deus. Ela também é a chave para o coração de seu marido e a avenida através da qual o romance irá fluir. E, se o seu marido não é cristão, seja um exemplo para ele, interceda pela vida de seu amado e nunca o importune por causa de sua falta de interesse nas coisas espirituais. (Homens detestam ser importunados por qualquer coisa. As mulheres também!) Deus sabe que, se uma mulher tiver de influenciar seu marido, não será através de suas queixas, mas sim de sua *submissão*. Esta também é a chave para desfrutar de um maravilhoso clima de romance e uma vida sexual excelente no casamento.

Em seu livro *Criative Counterpart* (Parceiro Criativo — não editado em português), Linda Dillow diz o seguinte: "Muitas vezes, a submissão é a chave da resposta sexual [...]. Além disso, a resposta sexual é o equivalente a nível físico da submissão, que ocorre a nível psicológico".[7] Isso funcionou maravilhosamente bem comigo, quando parei de me preocupar em saber se meu marido estava realmente me amando como Cristo amou a igreja e se ele estava ou não suprindo as minhas necessidades. Em vez disso, segui a orientação do Espírito e me submeti — não apenas fisicamente, mas também emocional e mentalmente. Meu objetivo passou a ser a satisfação das necessidades de meu marido. Quando isso aconteceu, nossa vida sexual deu um salto. Uma noite, meu marido me disse:

— Olha, não sei o que aconteceu, mas alguma coisa mudou para melhor!

Quando se trata de sexo, a submissão é elétrica. Quando se trata de romance, ela é mágica. *Submissão é o amor incondicional em ação.* Uma esposa que sente esse tipo de amor por seu marido fica ansiosa por satisfazer suas necessidades. A maioria dos homens que vê este desejo e esforço por parte da esposa em agradar-lhe reage estendendo seu coração para ela e envolvendo-a em amor e submissão às suas necessidades. Quando o casamento chega a este ponto, ele resplandece com a luz de um romance dado por Deus, ofuscando o brilho das mais caras jóias.

Havendo, pois, Boaz comido e bebido, e estando já o seu coração alegre, veio deitar-se ao pé de um monte de cereais; então, veio ela de mansinho, e lhe descobriu os pés, e se deitou. E sucedeu que, pela meia-noite, o homem estremeceu e se voltou; e eis que uma mulher jazia a seus pés. E disse ele: Quem és tu? E ela disse: Sou Rute, tua serva; estende, pois, tua aba sobre a tua serva, porque tu és o remidor. E disse ele: Bendita sejas tu do Senhor, minha filha; melhor fizeste esta tua última beneficência do que a primeira, pois após nenhuns jovens foste, quer pobres quer ricos. Agora, pois, minha filha, não temas; tudo quanto disseste te farei, pois toda a cidade do meu povo sabe que és mulher virtuosa.

RUTE 3.7-11

Características Específicas da Submissão

A palavra "virtuosa", em Rute 3.11, também aparece em Provérbios 31.10: "Mulher virtuosa, quem a achará? O seu valor muito excede o de rubins". Esta palavra é uma tradução do vocábulo hebraico *chayil*, cujo significado abrange uma variedade de conceitos ligados a idéias de poder, força, capacidade, valentia, valor; exército, forças, hostes; tesouros, substância e riqueza. Sinto-me mais imponente quando me dou conta que *chayil* é usada tanto em relação a Rute quanto em relação à mulher de Provérbios 31. De fato, Deus criou a mulher com força e poder, e deseja que ela use tais capacidades para glorificar seu Criador e honrar seu marido.

Um dos mais poderosos atos que podemos praticar no casamento é a submissão. Isto não é um sinal de fraqueza, mas de fortaleza; capaz de revolucionar um casamento. A submissão oferece ao marido a segurança de que ele necessita para entregar completamente seu coração à esposa. Poucos homens amam com total abandono até terem certeza de que suas esposas são leais. Para o homem, submissão significa lealdade. Lealdade e respeito. Respeito e honra. Veja o modo como Boaz reagiu diante da atitude de Rute: "Agora, pois, minha filha, não temas; tudo quanto disseste te farei". Quando vêem a submissão em ação, muitos homens cristãos sentem o desejo de servir às suas esposas.

Quando você experimentar pela primeira vez o clima de romance que a submissão provoca no casamento, começará a procurar formas de demonstrá-la a seu marido. Aqui estão algumas sugestões de submissão saudável e as características da nociva.

Submissão Física Saudável

♀ Use um penteado que agrade a seu marido.

- Use a maquiagem para agradar a seu marido. Pergunte-lhe se gostaria de que você mudasse alguma coisa.

- Se seu marido faz comentários positivos em relação a algum estilo de roupa, use-o sempre que puder.

- Escolha um lingerie e perfume de que ele goste.

- Dentro do razoável, e do modo que puder, procure manter seu corpo da forma como ele prefere.

Submissão Física Nociva

- Seu marido dita as ordens sobre o que você deve vestir, como pentear o cabelo, que perfume usar, se vai ou não usar maquiagem, e em que quantidade.

- Ele nunca está contente com seu corpo.

- Ele abusa fisicamente de você. Por sua vez, você se retrai e se "submete", mas no fundo fica magoada. (Isto não é submissão bíblica; é intimidação e abuso. A submissão saudável não pode ser forçada. Ela é um ato da vontade e é dada espontaneamente, sem ressentimento. É por isso que a submissão saudável é tão bonita e atraente.)

Submissão Emocional Saudável

- Expresse seu amor por seu marido de forma livre e espontânea. Minha meta é dizer a meu amado que o amo todos os dias.

- Diga-lhe que ele é o homem da sua vida. Sempre digo a meu marido que, se o encontrasse hoje pela primeira vez, jogaria charme o tempo todo, até que me convidasse para sair.

- Converse com ele sobre seus desapontamentos e triunfos; compartilhe suas alegrias e tristezas.

Submissão Emocional Nociva

- Você faz uma cara alegre e finge estar tudo bem entre vocês, porém não está. (Isto não é submissão saudável; é fingimento.)

- Você tem medo de dizer o que pensa a seu marido porque acha que submissão é concordar com tudo que ele diz. (Por favor, compreenda que você pode manter um espírito biblicamente submisso, mesmo quando está falando sobre seus sentimentos negativos. Esconder emoções não é submissão saudável; é uma manifestação de medo e só piora os problemas.)

- Se seu marido abusa de você emocionalmente, você jamais o confronta nem pede que ele pare.

Submissão Mental Saudável

- Quando pensar em seu marido, concentre seus pensamentos em como tornar a vida dele mais feliz.

- Quando se sentir tentada a olhar para outros homens, não dê uma segunda olhada. Seja fiel a seu marido.

- Quando perceber falhas em seu marido, procure pensar em suas qualidades. Se precisar tocar no assunto com ele, faça-o com carinho e respeito.

- Lembre-se de elogiar seu marido todos os dias. (Estou sempre dizendo que ele é um homem maravilhoso e um excelente pai.)

Submissão Mental Nociva

- Seu marido a convenceu de que uma mulher santa não pode ter idéias próprias.

- Você é criticada por desejar qualquer tipo de realização — exceto em relação a ele.

- Ele a intimidou a tal ponto que você tem receio de que ele consiga ler seu pensamento. (Isto não é submissão saudável; é controle da mente e tortura mental.)

Submissão Romântica Saudável
- Leia o capítulo 1 novamente e coloque-o em prática.
- Considere-se a namorada de seu marido.
- Dedique tanta energia ao romance com seu marido quanto dedicaria ao seu passatempo predileto. Ou faça do namoro com ele o seu passatempo predileto.

Submissão Romântica Nociva
- Seu marido critica a maioria das coisas que você faz, inclusive suas tentativas de romance. Então, você se desdobra, tentando agradar-lhe. Mas nunca consegue. (Isto não é submissão saudável; é um ciclo de co-dependência e perfeccionismo.)

Submissão Sexual Saudável
- Você procura satisfazer as necessidades sexuais de seu marido.
- Você descobre o que ele gosta na cama, e repete com freqüência.
- Você não espera que ele sempre tome a iniciativa. (Quando perguntei a meu marido se ele gostava quando eu tomava a iniciativa no sexo, ele me olhou como se tivesse ganhado na loteria e disse: "Gosto muito!")
- Você não tem fantasias sexuais com outros homens.

Submissão Sexual Nociva
- Seu marido a força a fazer sexo com ele.

- Você está sempre sendo solicitada a dar prazer a seu marido, todavia ele não se importa com o seu prazer ou com suas necessidades emocionais.

- Para seu marido, a violência é parte do ato sexual.

- Seu marido está envolvido com pornografia e quer que você participe.

- Seu marido quer que você faça coisas durante o ato sexual que lhe são desagradáveis.

Submissão Espiritual Saudável

- Espiritualmente, devemos nos *submeter ao Senhor em primeiro lugar*. Nossa salvação vem do Senhor, e não de nossos maridos. (Veja o capítulo 2.)

- Deus quer que nos submetamos a nossos maridos como ao Senhor. Isso significa que devemos encorajar e honrar nossos esposos e respeitar suas decisões.

- Ore por seu marido diariamente.

- Participe das decisões importantes. Se você sentir que o Senhor está lhe falando especificamente a respeito de uma determinada decisão, converse com seu marido. Homens cristãos razoáveis ouvirão as palavras de sabedoria de uma esposa temente a Deus.

Submissão Espiritual Nociva

- Seu marido espera que você se submeta, mesmo que sua decisão seja moralmente questionável.

- Alguém lhe disse que, se seu marido quiser que faça algo contrário à Palavra de Deus, você tem de fazer. (Isto não é submissão bíblica; é desobediência às Escrituras.)

- Ensinaram-lhe que, se você pecar porque está obedecendo à vontade de seu marido, Deus irá responsabilizá-lo, e não você. (Isto não é verdade. Veja a história de Ananias e Safira [At 5.1-10]. O marido e a mulher são igualmente responsáveis por seu pecado.)

- Você colocou seu marido no lugar de Deus e espera que ele seja tão perfeito quanto Deus.

Se qualquer um desses exemplos de submissão nociva se aplica ao seu casamento, comece orando por você, por seu matrimônio e seu marido. Em seguida, fale a verdade, em amor. Diga a seu esposo que o modo como ele a tem tratado está matando o romance em seu casamento e talvez até o seu amor, se for o caso. Procure um conselheiro profissional cristão que possa lhe dar orientação firme, baseada na Bíblia. Se for possível, pratique apenas a submissão saudável.

O meu amado é cândido e rubicundo; ele traz a bandeira entre dez mil. A sua cabeça é como o ouro mais apurado, os seus cabelos são crespos, pretos como o corvo. Os seus olhos são como os das pombas junto às correntes das águas, lavados em leite, postos em engaste. As suas faces são como um canteiro de bálsamo, como colinas de ervas aromáticas; os seus lábios são como lírios que gotejam mirra. As suas mãos são como anéis de ouro que têm engastadas as turquesas; o seu ventre, como alvo marfim, coberto de safiras. As suas pernas, como colunas de mármore, fundadas sobre bases de ouro puro; o seu aspecto, como o Líbano, excelente como os cedros. O seu falar é muitíssimo suave; sim, ele é totalmente desejável. Tal é o meu amado, e tal o meu amigo, ó filhas de Jerusalém.

CANTARES 5.10-16

Aplicando a Teoria

O Aspecto Pessoal

Gostaria imensamente de poder dizer que sempre fui uma esposa submissa. Entretanto, honestamente, passei muito mais tempo lutando com a forma desequilibrada como a submissão é ensinada do que a praticando da maneira correta. Quando ouvia alguém repetindo a velha cantiga para tentar provar alguma idéia de dominação, de imediato encerrava a discussão e rejeitava completamente o conceito. Até que, um dia, o Espírito Santo mostrou-me que o fato de eu não concordar com as interpretações errôneas do conceito de submissão não significava que estava isenta de praticar o que a Bíblia ensina. Abracei este poderoso princípio, apenas recentemente, e consegui alcançar um outro nível amoroso no relacionamento com meu marido. *Submissão é o amor incondicional em ação*, manifestado na vida de um casal.

O Aspecto Espiritual

O nível de submissão discutido neste livro não pode ser alcançado sem uma mudança de atitude radical e uma total obediência a Deus. Se a mulher não se submeter ao seu Criador, não se submeterá ao marido. Da mesma forma, se um homem não se submeter ao Senhor, jamais será capaz de amar a esposa com o amor sacrificial e submisso que Jesus Cristo exemplificou na cruz. Somente através da entrega ao Senhor e de uma caminhada íntima com Ele é que poderemos receber a capacitação necessária para nos submetermos a nossos cônjuges.

A Vida Real

Talvez você esteja pensando: *Mas meu marido não está fazendo nada para suprir minhas carências. Ele não está me amando como Cristo amou a igreja. Ele é um egoísta. Para ele, Efésios 5.21 — "sujeitando-vos uns aos outros" — não existe! E quanto ao romance, então? Parece piada! Ele não liga a mínima para isso!*

Reconheço que você está numa situação difícil. Quero que entenda que a Bíblia estabelece certas equações para os relacionamentos. Por exemplo, a equação para uma reconciliação com

Deus é: a morte de Cristo pelos nossos pecados + nosso arrependimento e recebimento do perdão de Deus = vida eterna, alegria e relacionamento pessoal com Ele. Jesus Cristo morreu na cruz por nós sabendo muito bem que pessoas iriam rejeitá-lo. Porém, mesmo assim, Ele fez isso. Ele *decidiu* fazer sua parte. Todavia, para que tenhamos comunhão com Ele, temos de atender à sua súplica e *decidir* fazer a nossa parte na equação. Temos de nos arrepender e pedir que Deus perdoe nossos pecados. Se não fizermos nossa parte, isso não alterará em nada a parte de Jesus na equação.

O mesmo acontece no casamento. Também existe uma equação: esposa se submete ao marido + marido se submete à esposa = harmonia conjugal, sexualidade intensificada e romance delicioso. Talvez você se submeta a seu marido e ele não responda prontamente. Entretanto, isso não a exime de fazer o que cabe a *você* na equação que Deus escreveu.

Tenha certeza de uma coisa: a Palavra de Deus é fiel e verdadeira. Quando o apóstolo Pedro nos diz, em 1 Pedro 3.1-4, que nossa submissão é uma influência poderosa, ele está falando da submissão *saudável*. Eu a desafio a colocar este princípio em prática. Com o tempo, você ficará surpresa com os resultados!

Pontos Importantes na Oração pelo Romance

Se você está enfrentando problemas na área da submissão, os seguintes passos irão ajudá-la a obedecer à Palavra de Deus.

- Se você tem seguido a filosofia do chauvinismo feminino, peça ao Senhor que limpe seu coração e sua mente, eliminando completamente essas falsas idéias.

- Se seu marido tem seguido a filosofia do machismo, peça ao Senhor que o convença de sua atitude errada.

- Ore para que o Senhor lhe dê forças para se submeter de maneira saudável a seu marido, mesmo que ele não esteja fazendo sua parte na equação do matrimônio.

- Ore para que Deus a ajude a amar seu marido incondicionalmente.

- Peça ao Senhor que lhe mostre todos os dias pelo menos uma maneira de demonstrar romanticamente sua devoção, amor e submissão a seu marido.

Idéias Românticas

*Precisamos crescer em amor e, para isso,
é preciso amar, amar, e dar, e dar,
até doer — como fez Jesus.
Faça coisas comuns com um amor incomum.*[8]

Observação: O motivo pelo qual este ato de submissão foi tão significativo é que eu não tinha o hábito de fazer coisas assim. Quando estiver lendo esta sugestão, pense em alguma coisa que você nunca fez, ou quase nunca faz, para demonstrar sua submissão a seu marido. Se funcionar, ótimo. Mas, se seu marido há anos tem insistido apenas que você lhe sirva, então fazer isso ainda mais não provará nada.

O que Fiz

Meu marido estava sentado no sofá, parecendo cansado e um pouco abatido. Sentei-me em seu colo, corri os dedos por seus cabelos e perguntei se havia algo que pudesse trazer para ele. Chá? Água? Qualquer coisa que eu possa fazer para melhorar sua vida?

O Motivo

Esta foi minha maneira de demonstrar meu amor e submissão a Daniel. Nunca fui o tipo de mulher que gosta de pegar uma bandeja e servir aos outros; portanto, aquele foi um gesto de submissão bastante significativo.

Como me Senti

Colocar-me à disposição dele fez com que me sentisse cheia de amor. Este meu oferecimento foi submissão em ação e, portanto, uma expressão de amor incondicional. Fiquei radiante com a alegria que brotou de seus olhos.

Obstáculos que Tive de Vencer

Noutros tempos, não teria me oferecido para levar nada a Daniel, porque já vi muitos maridos que se aproveitam de suas mulheres e fazem delas verdadeiras escravas, e sempre achei isso uma injustiça (ainda acho). Apesar de Daniel nunca ter se comportado dessa maneira, meu principal obstáculo era o medo de que ele se aproveitasse da situação, passasse a achar que era minha obrigação ou abusasse de minha boa vontade em servir-lhe.

A Reação dele

Ele quase se "derreteu", todavia jurou que não precisava de nada, naquele momento. Porém, tenho *certeza* de que gostou demais quando sentei no seu colo e demonstrei atenção para com ele. No dia seguinte, mandou-me um bilhetinho romântico pelo e-mail, que dizia:

> Debra,
> Queria dizer que senti muito a sua falta hoje, e gostaria que pudéssemos passar mais tempo juntos! Você é a mulher mais MARAVILHOSA do mundo, e agradeço a Deus por poder chamá-la de MINHA MULHER! Espero que tenha um ótimo dia, cheio de bons momentos. Vou sentir sua falta enquanto estiver conversando com suas amigas e outros escritores. Vou ficar pensando em você, nos seus carinhos, na sua pele macia. Acabei de ler seu último livro; achei ótimo. Estou realmente impressionado com o trabalho profissional que fez! Você realmente está melhorando a cada dia, em tudo o que faz. Tenha um excelente dia e lembre-se de que eu te amo!!!

O que Gostaria de Ter Feito

Gostaria de ter lançado fora o medo que tinha de me submeter, e feito esse tipo de coisa há muitos anos.

Cortando Gastos

Esta sugestão é uma das mais caras do livro inteiro. Ela lhe custará todo o seu coração... a entrega de todo o seu ser ao Senhor... a entrega de todo o seu amor a seu marido... a entrega de seu orgulho e de todos os seus temores a Deus.

5
Comunicação e Sexo

Que é o teu amado mais do que outro amado,

ó tu, a mais formosa entre as mulheres?

CANTARES 5.9

SINCERAMENTE, NUNCA TIVE A INTENÇÃO DE MACHUCAR NINGUÉM. Queria apenas ter um momento de relaxamento; então, derramei um pouquinho de óleo para bebês na banheira cheia de água morna e fiquei durante um momento, a fim de descansar.

Depois que o "meu momento" acabou, deixei a água escoar da enorme banheira de fibra de vidro, me enxuguei e comecei a me arrumar para dormir. Meu querido marido, que é forte como um touro, sem desconfiar de nada, entrou na banheira e fechou a cortina. Então, algo estranho começou a acontecer. Digo "começou a acontecer" porque acredito que não levou mais que um segundo, porém foi se desdobrando numa seqüência de eventos que não acabava mais. O primeiro barulho que ouvi foi um baque seco. Depois uma série de batidas, estalos e sons de coisas deslizando. Em seguida, uma parte do corpo que não sei bem qual era, provavelmente uma mão, cotovelo ou pé, deu uma pancada na cortina azul do boxe. Ela estufou como um cogumelo. Mais batidas. Um tombo. Algumas pancadas curtas. Outra parte do corpo atingiu a cortina novamente. Um rolamento. Outro escorregão. Barulho de frascos de xampu caindo na banheira. Depois... silêncio. O coitado do Daniel não disse uma só palavra durante toda aquela confusão.

Antes do primeiro baque, estava me preparando para escovar os dentes. Bem, não preciso dizer que deixei a tarefa para depois. Fiquei ali plantada, sem saber se ria, chorava ou *corria!* Como tenho muita tendência a rir, fiquei pensando seriamente nessa possibilidade.

Ouvi meu querido Daniel tentando ficar em pé. Até esse ponto, ele ainda não havia dito uma palavra. Então, empurrou a cortina para o lado e me lançou um olhar feroz. Os olhos dele são de um verde bastante comum, mas, naquele momento, tinham assumido um aspecto meio monstruoso, faiscando como os olhos de um dragão saído de algum pesadelo. A única coisa que me distraiu daquele olhar penetrante foi a mancha redonda e brilhante, do tamanho de uma moeda grande, que aparecia nitidamente em sua bochecha vermelha. Podia ver nitidamente que aquilo era óleo para bebês.

Enquanto Daniel continuava a me encarar com aquele olhar feroz, esforçava-me para me manter impassível. Eu sabia muito bem que qualquer risada nessa hora poderia ser fatal. Por fim, Daniel novamente fechou a cortina. Ainda tentando segurar o riso, mordi meus lábios até "sangrar".

Meu marido abriu o chuveiro. A água quente deve ter lavado sua raiva, pois logo ouvi um grunhido, um risinho baixo, e depois uma sonora gargalhada. Percebendo que a "barra" estava limpa, parei de me controlar e ri até não poder mais.

Somente quando terminou de tomar banho e nós dois estávamos fracos de tanto rir é que ele me contou o que tinha acontecido.

— Eu não conseguia parar de escorregar. Não tinha lugar onde eu tentasse me agarrar que não estivesse completamente ensebado. Quando tentava subir por um lado da banheira, achando que ia conseguir me segurar, escorregava de novo e ia parar do outro lado.

Ele fez uma pausa, rindo consigo mesmo, e depois continuou:

— Era como se eu fosse uma foca ou algo assim.

Graças a Deus, o único dano permanente foi uma rachadura na banheira. (Será que preciso dizer que nunca mais coloquei óleo para bebês na água do meu banho?)

Muitas vezes, as tentativas que fazemos para nos comunicar com nosso cônjuge são como os escorregões incontroláveis de Daniel dentro da banheira lambuzada de óleo. De acordo com H.

Comunicação e Sexo

Norman Wright, em seu livro *Comunicação: a Chave para o seu Casamento*, "os especialistas em comunicação afirmam que, quando dirigimos a palavra a outra pessoa, podemos transmitir, de fato, seis mensagens diferentes:

1. O que queremos dizer.

2. O que realmente dizemos.

3. O que a outra pessoa ouviu.

4. O que a outra pessoa acha que ouviu.

5. O que a outra pessoa disse sobre o que acabamos de dizer.

6. O que achamos que a outra pessoa disse sobre o que acabamos de dizer."[1]

Depois que li esta lista, foi como se meu cérebro escorregasse na banheira cheia de óleo. Não admira que tantos maridos e mulheres reclamem que seus cônjuges não os compreendem!

Apesar das ciladas da comunicação, uma coisa é certa: quanto melhor for a comunicação entre um casal, mais profunda será a intimidade entre eles e mais excitante o seu relacionamento sexual. A comunicação não envolve apenas o que dizemos, mas também nossas expressões, gestos e ações.

Infelizmente, existem muitos casais em que cada cônjuge vive em seu mundo próprio, quase sem nenhuma comunicação um com o outro. A única mensagem que um transmite ao outro é: "Não quero me comunicar".

Segundo Gary Rosberg, "casais que estão passando por conflitos, desilusões, falta de comunicação e sofrimento revelam que seu relacionamento sexual é um verdadeiro barômetro de seus problemas conjugais".[2] Quando uma mulher se recusa a atender às necessidades sexuais de seu marido, está transmitindo a seguinte mensagem: "Não me importo com você, não preciso de você e não o amo". Por sua vez, alguns maridos acabam se afastando da mulher e passam a dar atenção apenas a seus próprios interesses e necessidades — sua carreira profissional, seus passatempos, e quem sabe até a pornografia ou os braços de suas amantes. Não estou de forma alguma dizendo que o homem não é responsável por seus pecados diante de Deus. Ele é. No entanto, uma esposa sensata percebe que a intensa necessidade que seu marido tem de sexo o deixará vulnerável ao fracasso moral, se ela não se dispuser a suprir suas carências. O homem insatisfeito se distancia rapidamente de sua mulher. O abismo entre marido e mulher assume proporções gigantescas e o isolamento e a solidão se intensifica. Por outro lado, *quando uma mulher despende energia para atender às necessidades sexuais de seu marido, ela o deixa tão empolgado que ele se desdobra para suprir as suas necessidades.*

Você quer ter uma comunicação realmente significativa com seu marido? Então, concentre-se em suprir as necessidades de seu amado sem egoísmo. Dê a ele sexo de qualidade. Não deite simplesmente na cama, esperando que ele faça todo o resto. A idéia errônea de que as mulheres devem ser passivas e não participantes na cama deve ser descartada para que possamos, realmente, agradar a nossos maridos. Os casais cristãos deveriam ter a vida sexual mais excitante do mundo, porque *Deus criou o sexo!* Em seu livro *Dez Coisas que seu Homem realmente Quer na Cama*, Pamela Lister coloca "entusiasmo" como a número um.[3] Esse entusiasmo inclui a disposição de largar tudo por um momento espontâneo, assim como tomar a iniciativa de procurar intimidade. Entusiasmo também engloba demonstrar sua excitação na cama. Segundo Lister, "quando os homens dizem que gostariam de que suas esposas tomassem mais a iniciativa, eles estão querendo dizer que gostariam de que elas fossem mais agressivas, mais óbvias, mais diretas".[4]

Deixe seu marido de queixo caído, de vez em quando. Muitas mulheres dizem: "Se eu fizesse _____ meu marido ficaria chocado!" Então, complete a lacuna e dê um "choque" nele. Um choque, uma vez ou outra, faz maravilhas na vida de um homem e melhora a qualidade da comunicação no casamento, muito mais do que se imagina. Poucos homens permanecem impassíveis quando a mulher planeja um "choque", periodicamente. Estou começando a desenvolver uma certa capacidade de identificar um homem "chocado". Em geral, dá um sorriso abobalhado quando sua mulher entra na sala, e o clima entre os dois quase soltam faíscas. E quanto à comunicação? Os dois dão mostras de comunicação positiva praticamente o tempo todo. Infelizmente, um homem "chocado" é uma raridade. (Se você está se perguntando o que poderia fazer para eletrizar seu marido, o capítulo 9, *Encontros Excitantes*, traz algumas idéias criativas.)

Gary Rosberg afirma que, "se uma mulher não sabe o que fazer para agradar a seu marido, ela precisa descobrir".[5] Muitos casais não falam sobre sexo. Considerando o papel importantíssimo que o sexo tem nos casamentos saudáveis, o fato de não discutir o assunto com seu cônjuge fatalmente resultará num relacionamento conjugal medíocre, com uma vida sexual que não tem nada de excitante. Se você quer abrir o canal de comunicação com seu cônjuge sobre esse assunto, Rosberg sugere algumas perguntas que podem estimular o diálogo:

- "O que poderia fazer para demonstrar que me interesso por suas necessidades sexuais?"

- "Com que freqüência gostaria de fazer amor?"

- "Do que mais gosta no nosso relacionamento sexual?"

- "O que gostaria que eu mais fizesse?"

- "O que você quer que eu faça menos?"

- "Como se sente quando tomo a iniciativa?"

- "Se não estiver pronta para o sexo na mesma hora que você, como posso demonstrar isso de uma forma que não se sinta rejeitado?"

Sinceramente, a maioria das conversas mais profundas e importantes que tenho com meu marido acontece depois que fazemos sexo. Os antigos chamavam esses momentos de "conversas de travesseiro". Não existe nenhum outro momento em que me sinta mais próxima do meu marido do que depois da união física. A fusão de nossos corações, mentes e almas parece mais doce após unirmos nossos corpos. Depois do sexo, os homens, em sua maioria, estão mais propensos a abrir o coração com suas esposas. Se a mulher fizer algumas das perguntas listadas anteriormente, pode aproveitar essa excelente oportunidade para ter um diálogo sincero. Além da "conversa de travesseiro", meu marido e eu costumamos aproveitar esse momento para uma "oração de travesseiro". Não custa nada sugerir a seu esposo que ore por você, pedindo a Deus que lhe dê sabedoria para satisfazer suas necessidades sexuais. Quando você menos esperar, seu marido estará pedindo ajuda ao Senhor para satisfazer suas necessidades também. A sensação gostosa que o casal experimenta após uma relação sexual satisfatória estimula a comunicação entre os dois, nos níveis emocional, mental e espiritual.

Não desanime, porém, se esse tipo de comunicação não acontecer num espaço curto de tempo. Você pode ter de agradar a seu marido por vários meses antes que ele comece a partilhar essa comunicação íntima. Contudo, me arriscaria a dizer que a maioria dos homens não é assim tão dura de coração. Entretanto, lembre-se de uma coisa: se você está fazendo sexo com seu marido apenas para conseguir o que deseja — mesmo que seja uma boa comunicação —, seus motivos estão errados. Nunca é demais enfatizar que você deve se dedicar a satisfazer as necessidades de seu marido sem egoísmo, e nunca desistir de lutar por um casamento feliz.

Cultivando a Unidade do Casal

Cultivamos a intimidade espiritual no nosso casamento através dos meios tradicionais — orando juntos, participando de um estudo bíblico semanal com outros casais e indo aos cultos. Porém, temos percebido cada vez mais que o tempo que passamos juntos antes de cair no sono, quando nos aconchegamos nos braços um do outro e conversamos sobre nossa intimidade, é um dos mais importantes momentos do dia. O Reino de Cristo penetra no nosso coração e é trazido para o nosso casamento de uma forma especial quando fazemos amor. Durante a intimidade sexual, nos entregamos deliciosamente, em total vulnerabilidade e confiança. A excitação e a sensação irresistível de unidade toma conta de nós, enquanto nos satisfazemos e alegramos com curiosidade e respeito — conceitos altamente espirituais através dos quais Deus nos ensina maravilhosas lições sobre celebração e prazer.

O contato carinhoso alimenta as partes espirituais mais profundas do nosso ser. Colossenses 3.12-14 nos diz que devemos cultivar a benignidade, a humildade, a mansidão, a longanimidade, o perdão e, acima de tudo, o amor. De uma forma maravilhosa, nossa intimidade sexual nos ajuda a desenvolver essas qualidades no nosso casamento e tem nos aproximado cada vez mais do nosso Criador e da unidade que Ele deseja para o casal. Obrigada, Senhor![6]

Comunicação e Fidelidade

Muitos especialistas dividem a comunicação em duas categorias: verbal e não-verbal. A comunicação verbal inclui o que dizemos e os ruídos que fazemos com a boca. Por exemplo, um riso alegre, um muxoxo de zombaria ou um "Ihhh!" são formas de comunicação verbal, enquanto revirar os olhos, tocar de leve ou sorrir silenciosamente são não-verbais. Ambas as formas transmitem importantes mensagens.

No entanto, para os propósitos deste livro, dividirei a comunicação em dois grupos opostos: fidelidade e infidelidade. Quando se fala em fidelidade, geralmente as pessoas pensam logo em comportamento sexual. Mas essa virtude abrange uma esfera muito mais ampla do que simplesmente o corpo. A fidelidade para com o companheiro inclui pensamentos, ações, atitudes e palavras. Muitas mulheres jamais sonhariam em ter um caso com alguém, mas participam diariamente de episódios de infidelidade verbal e não-verbal.

Imagine que cada palavra que você diz seja uma bolha. Cada bolha pode estar cheia de lama ou perfume. Se sua vida é marcada pela fidelidade verbal a seu marido, suas palavras irão elogiá-lo, encorajá-lo e edificar sua vida. Por outro lado, se vive em infidelidade verbal, suas palavras irão criticar, ferir e desanimar seu marido. E depois de alguns anos passando por isso, o coração de um homem fica endurecido, como se tivesse uma camada de lama seca em volta, e ele não faz mais nada para melhorar a qualidade de seu casamento.

A fidelidade na comunicação vai muito além das palavras. O Senhor quer que a mulher cristã entregue seu coração a Deus, em primeiro lugar, e que suas atitudes, pensamentos e ações demonstrem uma fidelidade inabalável em relação a seu esposo. Poucos são os maridos que entregam o coração à esposa sem terem plena confiança e segurança em sua permanente lealdade. Em qual categoria sua comunicação se encaixa: fidelidade ou infidelidade? Examine-se, honestamente, quando estiver lendo as características da comunicação fiel. Depois, assuma o compromisso de sempre pedir ao Senhor que a capacite a aprofundar ainda mais sua lealdade para com seu marido.

Entretanto, se você é vítima de violência sexual ou de qualquer forma de maus tratos físicos ou psicológicos, por favor, procure com urgência a polícia ou seus parentes mais próximos e saia de casa para proteger sua própria vida ou sua saúde mental, e, se for caso, a integridade física de seus filhos. As sessões a seguir não são, de maneira alguma, um incentivo para que uma mulher que está sendo maltratada pelo marido desenvolva uma relação de co-dependência. O que procurei fazer foi transmitir orientações que ajudem o casal a transformar um casamento comum ou enfraquecido em algo extraordinário. Talvez você esteja pensando: *Ora, as mulheres também precisam desse tipo de fidelidade* — e concordo plenamente com isso! No prefácio, sugeri às leitoras que pedissem a seus maridos para lerem este livro, e um dos motivos é exatamente este capítulo. Por favor, não pense que estou jogando a responsabilidade toda para a esposa. Porém, como este livro foi escrito para mulheres, estou incentivando *você* a ser fiel e a fazer o que é certo, independentemente das ações de seu marido.

A Fidelidade na Comunicação Verbal

A mulher que demonstra fidelidade verbal conduz sua vida de acordo com a seguinte regra: ela fala a verdade em amor. Não importa o que diga a seu marido, suas palavras são sempre amorosas. Se há algum problema com seu casamento, ela aborda o assunto carinhosamente. Não humilha seu marido em hipótese alguma. Todas as suas críticas são construtivas, e ela ora muito antes de abrir a boca para expressar qualquer uma delas. Este tipo de esposa reconhece que o fato de saber em quais áreas o comportamento de seu marido precisa melhorar não lhe dá o direito de despejar esta informação em cima dele de qualquer maneira. Oferece apenas seus conselhos e observações quando tem certeza de que é isso que o Senhor deseja que ela faça. Além disso, também reconhece que não é perfeita e, antes de fazer críticas construtivas a seu companheiro, precisa deixar que Deus trabalhe em seu coração e molde o seu caráter para deixá-la conforme a sua imagem. Lembre-se: a maioria dos homens não quer uma mãe; eles querem uma esposa, amante, companheira e amiga.

Quando o casal tem algum desentendimento, uma esposa devotada evita proferir insultos ou dizer qualquer palavra que possa ofender a masculinidade de seu marido. Uma esposa que honra a fidelidade nunca menospreza o desempenho sexual de seu marido. Em vez disso, demonstra, com atos e palavras, que o considera atraente e sedutor. Se há áreas problemáticas no casamento que precisam ser discutidas, a esposa fiel pede a Deus que lhe dê uma oportunidade de conversar com seu marido sobre o assunto, e, quando essa surge, ela expõe de forma clara suas angústias e necessidades. Uma mulher que demonstra essa integridade geralmente descobre que Deus abre as portas para o diálogo. Encobrir os problemas causa uma "infecção" no casamento que pode acabar destruindo o relacionamento dos dois. Se o marido pergunta: "O que está havendo com você, meu bem?", a mulher fiel abre seu coração e, com amor, expõe suas queixas e preocupações.

Em reuniões sociais, a esposa que é verbalmente fiel a seu marido jamais comenta com as amigas as características e problemas de seu cônjuge. Ela não fala mal dele pelas costas nem o expõe ao ridículo em público. A esposa fiel nunca critica seu marido na frente dos filhos. Se houver necessidade de consultar um profissional para tentar resolver um problema conjugal, suas palavras são simples, honestas e confidenciais. A mulher que se recusa a participar da infidelidade verbal jamais permite que os laços com sua "família de origem" fiquem acima do seu relacionamento com o marido. Isto inclui não se queixar dele com os pais, pois essa atitude não somente é ruim para o casamento como cria tensão entre o marido e seus sogros. Além disso, uma esposa leal não conversa com as amigas sobre sua vida sexual, a menos que seja por um motivo justo, como encorajar ou ensinar algo. Este livro é um exemplo da forma correta de compartilhar informações sobre tal assunto. As intimidades e alegrias de seu quarto devem ficar entre você e seu marido.

A Fidelidade na Comunicação Não-Verbal
A esposa que se compromete a ser fiel em sua comunicação não verbal jamais usa suas expressões faciais para controlar, insultar ou diminuir seu companheiro. Ela se recusa a adotar comportamentos infantis, como ficar sem falar com o marido para "castigá-lo" por algo que ele tenha feito. O olhar dessa mulher para seu marido é cheio de devoção e respeito. Quando ele volta do trabalho, ela o recebe com um sorriso e um abraço. Quando ele fala, ela ouve com atenção e olha nos seus olhos. Ela usa suas mãos para lhe fazer um carinho no rosto, uma massagem nas costas ou segurar a mão dele. A esposa que demonstra esse tipo de fidelidade procura expressar por gestos e ações que, depois de Deus, seu marido é a pessoa mais importante de sua vida.

*Sejam agradáveis as palavras da minha boca
e a meditação do meu coração perante a tua face,
Senhor, rocha minha e libertador meu!*
SALMOS 19.14

Tenha a certeza de que seu marido anseia por sua fidelidade tanto quanto você pela dele. Cheguei à conclusão de que os homens têm uma espécie de antena que capta os sinais de fidelidade verbal e faz com que eles percebam imediatamente quando suas esposas estão sendo infiéis em suas palavras. A mulher que procura se manter fiel em sua comunicação logo descobre que seu cônjuge se torna seu melhor amigo. Quando algo muito interessante acontece, ele é sempre o primeiro a saber. Sua esposa não costuma cancelar compromissos marcados com ele para estar com suas amigas ou amigos.

Um marido que tem esse tipo de esposa não sente necessidade de procurar lealdade e intimidade fora de casa. Ele encontra isso em sua mulher. Embora a ligação com amigos do mesmo sexo seja importante e saudável, tanto para o marido quanto para a esposa, a melhor e mais íntima amizade é a que desfrutam dentro do casamento, quando os dois se empenham em manter uma comunicação fiel.

Você faz alguma idéia de por que é tão importante ser a melhor amiga de seu marido? Há várias razões: um casamento em que as pessoas se sentem realizadas, uma vida de alegrias e um relacionamento sexual maravilhoso. Porém, há outra razão importantíssima, que nos serve de alerta. É que a maioria dos casos extraconjugais inicia com uma amizade.

> Um relacionamento pleno requer um processo de comunicação no qual ambos os participantes se expõem livremente e conhecem cada aspecto da vida um do outro. Para conhecer outra pessoa intimamente é necessário ouvir e apreciar todas as dimensões de nosso amado. O próprio relacionamento é fortalecido por este compartilhamento íntimo, em que os dois aprendem a se divertir, planejar, sonhar e trabalhar juntos a fim de atingir objetivos comuns. A unidade espiritual irá surgir à medida que o casal for buscando mais e mais a presença e a bênção de Deus em sua... união.[7]

A mulher devotada a seu marido, no Senhor, não faz careta "pelas suas costas". Jamais usa gestos e expressões para zombar de seu caráter. Na frente dos filhos, não revira os olhos aliviada quando ele vai embora. A mulher fiel se certifica de que ninguém jamais a veja praticando qualquer ato que expresse deslealdade para com seu marido. Como as ações falam mais alto que as palavras, as pessoas geralmente não se enganam nesse aspecto; é impossível iludir os outros por muito tempo. Fidelidade não é encenação, mas algo que flui de um coração puro diante de Deus e se manifesta exteriormente como conseqüência do sentimento que há dentro da alma.

Aplicando a Teoria

O Aspecto Pessoal

Não poderia terminar este capítulo sem dizer uma coisa, com toda a sinceridade. Houve uma época em que falava sobre meu marido com minhas amigas. Um dia, Daniel disse-me: *Eu me sentia como se estivesse num tribunal.*

E eu que pensava estar escondendo minhas queixas! Quando comecei a praticar a fidelidade de alma e espírito, meu marido se tornou meu melhor amigo. Sinto muita vergonha de confessar isso, e o faço com lágrimas de arrependimento e remorso. Estou sendo transparente porque, se você caiu na armadilha da insatisfação, quero que saiba que está lendo palavras escritas por uma mulher que sabe muito bem o que é isso. Tentei ser verbalmente infiel. Não funciona. Quando nos comprometemos a viver em fidelidade de coração, alma e espírito, descobrimos que nosso melhor amigo está na cama, ao nosso lado — e a cama ferve!

Comunicação

Você e seu marido se comunicam muito ou pouco? Responda ao questionário a seguir e descobrirá se conhece bem o seu marido ou não. Se souber todas ou quase todas as respostas, exceto uma ou duas, provavelmente tem feito um bom trabalho de comunicação com seu marido. Mas se tiver muita dificuldade em responder às perguntas, é melhor começar a conhecer mais profundamente o homem com quem se casou. Em seu livro *Angry Men and the Women Who Love Them* (Maridos Violentos e as Mulheres que os Amam — não editado em português), Paul Hegstrom diz que, em seu primeiro casamento, ele e a esposa eram apenas conhecidos e não estavam nem perto de ter um relacionamento íntimo ou até mesmo uma amizade. Em seu segundo namoro e casamento, eles se tornaram amigos.[8] Será que você e seu marido são os melhores amigos um do outro?

1. Qual foi a coisa mais feliz que já aconteceu na vida de seu marido?

2. Qual foi a experiência mais difícil da vida dele?

3. Qual é a sua ambição secreta, seu objetivo na vida?

4. Quais são seus maiores temores?

5. O que você faz que ele mais aprecia?

6. Existem características em você que ele gostaria de ver mudadas? Quais?

7. Que homem ou homens ele mais admira?

8. Que lutas ele enfrenta na área espiritual?

9. O que ele gosta que você faça na cama?

10. De que peça de seu lingerie ele mais gosta?

11. Qual é sua cor favorita? Seu restaurante favorito? Sua sobremesa favorita?

12. Qual a canção de que ele mais gosta?

13. Qual é o seu esporte favorito?

14. Qual o atleta profissional que ele mais aprecia?

15. Qual era sua matéria predileta na escola e/ou na faculdade?

16. O que ele sonhava em ser quando crescesse?

17. Quais são suas mais antigas lembranças da infância?

18. O que ele consideraria um deleite, na área sexual?

19. Como ele se sente durante as tempestades? Já passou

por alguma situação difícil de catástrofe natural, como uma enchente, por exemplo?

20. Que tipo de cueca ele prefere (de algodão, lycra, etc.)?[9]

Se você e seu marido não estão se comunicando intimamente, é hora de começar.

Pontos Importantes na Oração pelo Romance

As orientações apresentadas a seguir são o primeiro passo para obter vitória na área da comunicação com seu marido:

Peça ao Senhor que lhe dê forças para começar a discutir assuntos sexuais com seu marido.

Ore para que Deus a capacite a se entregar para suprir as necessidades sexuais de seu marido — mesmo que ele não esteja suprindo as suas.

Peça autocontrole para manter a fidelidade na comunicação.

Peça ao Senhor que lhe mostre meios de ser mais amiga de seu marido.

Peça a Deus que cure as mágoas deixadas por possíveis infidelidades de comunicação que tenham ocorrido no passado.

Idéias Românticas

Faça o que puder, com o que tiver, no lugar onde estiver.

THEODORE ROOSEVELT

Aqui está uma idéia muito criativa de minha amiga Juanita Wells.

O que Fiz
Separei um dia por semana para que meu marido e eu tivéssemos um tempo para relaxar juntos e participar de seus passatempos prediletos: o golfe e a pescaria.

O Motivo
Naquela época, meu marido estava pastoreando sua primeira igreja, e ele não estava muito bem de saúde. Meu amado tinha espasmos nas costas e costocondrite (síndrome de Tietze), que geralmente estão relacionados com estresse. Estava claro que precisava de um dia inteiro de folga para descansar. Todavia, na casa pastoral não conseguia descansar, porque o telefone tocava o dia inteiro e ele ficava preocupado com a igreja. Os pastores têm de ficar longe do telefone ou não atender às ligações, algo que ele não faria se ficássemos em casa. Além disso, percebi que, se quiséssemos manter nosso relacionamento intacto e passar um "tempo de qualidade" na companhia um do outro, precisávamos separar um dia inteiro para ficarmos juntos, longe de tudo.

Como me Senti
Revigorada! Nossa excursão de segunda-feira para jogar golfe e pescar passou a ser nosso refúgio das pressões do resto do mundo.

Obstáculos que Tive de Vencer
Os principais obstáculos foram as finanças e o fato de ter de deixar meu trabalho de lado nesse dia. Também tive de convencer meu marido de que ele precisava desse dia de folga por causa de sua saúde e necessitávamos ficar um tempo juntos, apenas nós dois. Ele concordou com tudo, desde que eu arranjasse o dinheiro. Então, apertei o orçamento doméstico para fazer o dinheiro render

A Reação dele
Meu amado achou que eu era a mulher mais maravilhosa do mundo. Depois de horas jogando juntos no campo de golfe ou pescando, geralmente tínhamos um momento de intimidade física de fato muito especial.

O que Gostaria de Ter Feito

Embora tivéssemos adorado aquele tempo que passávamos juntos, hoje em dia fico pensando se não deveria ter imaginado algum programa de que nossas filhas pudessem participar de vez em quando.

Cortando Gastos

Dependendo da programação escolhida, uma saída dessas pode ser praticamente de graça ou custar uma pequena fortuna. Sugiro que você faça todos os ajustes necessários no orçamento para conseguir passar esse dia com seu marido, pois isso faz maravilhas no relacionamento do casal. Um dia, saquei todo o dinheiro suado que tinha depositado numa caderneta de poupança e comprei um barco de pesca. Pelo bem que fez ao nosso casamento, aquele barco valia pelo menos um milhão! Hoje em dia, aconselho as mulheres — principalmente as esposas de pastores — que descubram quais são os passatempos favoritos de seus maridos, e aprendam a gostar deles também.

6
O Cônjuge Controlador

O ladrão não vem senão a roubar, a matar e a destruir; eu vim para que tenham vida e a tenham com abundância.

JOÃO 10.10

DE ACORDO COM WILLIAM L. COLEMAN, as fêmeas de rinoceronte selecionam seus parceiros de uma maneira bastante imprópria para uma senhora. "Como ela não enxerga bem de longe, a primeira coisa que faz quando percebe a presença de seu pretendente é recuar. Depois, parte para cima dele a uns 50 quilômetros por hora e o atinge em cheio no flanco, derrubando-o no chão. Então, quando está caído, ela sobe em cima dele e começa a arranhá-lo com o chifre. Nessa hora, derrubado, sangrando e todo machucado, ele recebe a mensagem: 'Ela me ama!' A mulher cristã não é assim. Ela é feminina, gentil, doce e bondosa porque sabe o que é feminilidade. São poucos os homens que querem um sargento instrutor como esposa."[1] E, francamente, poucas esposas gostam de maridos que se comportam como a fêmea do rinoceronte. Converso com mulheres do país inteiro e nunca ouvi nenhuma delas dizer: "Adoro quando meu marido sobe em cima de mim e tenta me controlar". Da mesma forma que as mulheres não gostam de ser controladas, muitos homens não suportam viver com mulheres dominadoras. Esse tipo de atitude é um abuso, quer seja praticado pelo homem quer pela mulher.

Infelizmente, muitos casamentos são verdadeiros campos de batalha onde se trava uma feroz luta pelo poder. Muitos homens e mulheres cristãos sobem ao altar, diante de Deus, e prometem se "amar, honrar, respeitar e estimar". E, então, no espaço de três dias a um ano, um dos cônjuges começa a tentar dominar o outro.

Que desilusão — principalmente quando nos lembramos de que "estimar" significa "apreciar, amar, reverenciar, prezar, valorizar, admirar, honrar" e "respeitar" significa "honrar, admirar, homenagear, considerar, tratar com deferência, reverenciar". Não é espantoso como os significados dessas palavras são semelhantes?

Controlar é a antítese de respeitar e estimar. Uma mulher que tenta controlar seu marido não pode, de forma alguma, respeitá-lo e reverenciá-lo. De acordo com Laura Doyle, "se você confia em seu marido — e respeita suas idéias, em vez de tentar controlá-lo — garanto que estará a um passo de aumentar sua intimidade com ele".[2] Quando o esposo não é dominado pela mulher, sente-se mais livre e capaz de desenvolver ao máximo seu potencial em todos os seus relacionamentos, inclusive no casamento. Doyle afirma ainda: "Enquanto você não parar de tentar controlar a vida dele, não saberá exatamente o que é estar casada com seu marido [...]. Se ele se sentir desrespeitado, seu instinto natural de prover, proteger e amar sua esposa sairá dos trilhos. Quando a mulher respeita seu amado, ele reage naturalmente com mais confiança em si mesmo e gratidão por sua esposa. Isso faz com que a estime ainda mais e gaste tempo e esforço procurando agradar-lhe".[3] Em seu livro *Each for the Other* (Um pelo Outro — não editado em português), Brian Chapell diz: "O marido não é o único que se beneficia do respeito de uma esposa temente a Deus; ela também lucra com isso. O respeito de uma mulher por seu cônjuge é a chave que abre a porta para a bênção profunda que ambos desejam encontrar no casamento [...]. Por outro lado, a esposa que não respeita seu marido nega a si mesma qualquer chance de intimidade".[4] Chapell afirma ainda que "a atração física, embora seja poderosa, não consegue segurar um relacionamento depois que o respeito vai embora".[5]

Acredito que um dos sinais de que o respeito morreu, ou nunca existiu, é quando um cônjuge tenta dominar o outro. Quando uma pessoa diz: "Quero controlar meu cônjuge", isto é o mesmo que dizer: "Eu o respeito tão pouco que vou passar por cima dele". A frase: "Vou usar o sexo como instrumento de controle" é equivalente a: "Não ligo a mínima para as necessidades de meu marido e nem para o plano que Deus tinha quando o criou".

Por outro lado, vejo muitos homens cristãos que pensam mais ou menos assim: "Está registrado em Gênesis 3 que tenho de dominar minha esposa, então, vou oprimi-la. É um direito que Deus me deu". Enquanto isso, algumas mulheres cristãs estão pensando: "Sou muito mais esperta que ele. Ninguém vai me controlar! Se alguém aqui precisa ser controlado é ele! Então, vou usar o sexo para dominá-lo. Se for um bom menino e fizer o que quero, lhe darei sexo. Mas, se não fizer minhas vontades, não terá nada". E o que Deus queria que fosse uma ligação maravilhosa entre um homem e uma mulher se transforma num cabo-de-guerra entre duas pessoas que nunca entregam o coração uma à outra. Quando o marido respeita sua esposa e vice-versa, eles estão cumprindo o plano de Deus para o casamento.

Sem o amor, esta terra vira um túmulo.

ROBERT BROWNING

Sem o amor, o casamento vira um campo de batalha.

DEBRA WHITE SMITH

A beleza do casamento cheio do Espírito Santo, apresentado no Novo Testamento, é que quem prevalece em Efésios 5 não é a lei do pecado de Gênesis 3, mas a lei da submissão, da abnegação e do amor incondicional. Quando Jesus Cristo veio ao mundo, fez isso para cumprir a Lei do Antigo Testamento, e algumas partes desta cumpriu através da proclamação de uma nova lei — a de amor e graça. Paulo ressalta isso claramente em Romanos 13.8-10:

> *A ninguém devais coisa alguma, a não ser o amor com que vos ameis uns aos outros; porque quem ama aos outros [inclusive seu cônjuge] cumpriu a lei. Com efeito. Não adulterarás, não matarás, não furtarás, não darás falso testemunho, não cobiçarás, e, se há algum outro mandamento, tudo nesta palavra se resume: Amarás ao teu próximo [inclusive seu cônjuge] como a ti mesmo. O amor não faz mal ao próximo [inclusive seu cônjuge]; de sorte que o cumprimento da lei é o amor (ênfase minha).*

Cristo cumpriu essa nova lei quando deu sua vida por nós: "Mas Deus prova o seu amor para conosco em que Cristo morreu por nós, sendo nós ainda pecadores" (Rm 5.8).

Na época do Antigo Testamento, o povo de Deus tinha de sacrificar animais como oferta pela expiação de seus pecados. Quando Cristo morreu na cruz, Ele se tornou o supremo sacrifício por todos os pecados. Portanto, os sacrifícios de animais do Antigo Testamento tornaram-se desnecessários. Da mesma forma que revolucionou a expiação dos pecados, a lei do amor sacrificial de Cristo também revoluciona o casamento.

A interpretação errônea de Gênesis 3.16 como permissão para que o marido oprima sua esposa é esclarecida pelos princípios neotestamentários encontrados em versículos como os de Efésios 5.21-33, onde *ambos* os cônjuges são exortados a abrirem mão de seus direitos em submissão ao outro. No versículo 31, Paulo cita o plano de Deus no jardim do Éden: "Por isso, deixará o homem seu pai e sua mãe e se unirá à sua mulher; e serão dois numa carne". Jesus Cristo disse: "Moisés, por causa da dureza do vosso coração, vos permitiu repudiar vossa mulher; mas, ao princípio, não foi assim" (Mt 19.8). Para Ayda Spencer, "embora Cristo possa ter mudado nossa perspectiva em relação às leis sacrificiais do Antigo Testamento, Ele não invalidou, de forma alguma, a autoridade e pertinência do Antigo Testamento. Quase todas as questões fundamentais têm suas respostas nos primeiros capítulos de Gênesis. As relações entre homens e mulheres não são exceção".[6]

Quer seja homem quer seja mulher, um indivíduo que tenta controlar o outro torna miserável a vida dessa pessoa e coloca a si mesmo em escravidão. Dominar o cônjuge é uma tarefa de tempo integral. Precisamos ficar de olho nele constantemente, monitorando o que faz de seu tempo, o dinheiro que gasta, as pessoas com quem fala, suas decisões, o carro que dirige, a música que escuta, os esportes de que gosta, os passatempos que escolhe... A lista não tem fim. O cônjuge que tenta controlar o outro se torna prisioneiro de seus próprios desejos egoístas — desejos baseados na injustiça, e não na liberdade que Cristo concedeu a todos os que crêem.

Está escrito em 1 João 1.9, que: "Se confessarmos os nossos pecados, ele é fiel e justo para nos perdoar os pecados e nos purificar de toda injustiça". A purificação a que este versículo se refere significa completa limpeza. Enquanto os versículos 8 e 10 afirmam que somos pecadores e, se dizemos que não temos pecado, estamos mentindo, o verso 9 afirma claramente que Jesus Cristo morreu na cruz para nos purificar e nos livrar do pecado. Portanto, os versículos 8 e 10 nunca devem ser usados como desculpa para pensamentos pecaminosos, que incluem a manipulação e o controle de outra pessoa. Todo cristão sincero reconhece que existem momentos em que precisamos pedir perdão a Deus e a outras pessoas. Entretanto, Cristo veio para capacitar homens e mulheres a não *viverem pecando*. Ao contrário, Ele nos dá condições de morrermos para nós mesmos, para a necessidade de dominar os outros e a tendência de usar o sexo como arma de opressão.

Quando Satanás entrou no jardim do Éden com o propósito de roubar e matar, também destruiu o relacionamento conjugal. Se um casamento se baseia no princípio de que o marido tem o direito de oprimir sua esposa, ele está baseado em idéias carnais de soberania e controle, e não em amor e sacrifício. Quando isso acontece, o relacionamento está fundamentado sobre a servidão do pecado, e não a liberdade de Cristo. O profeta Isaías nos faz a seguinte exortação: "Buscai ao Senhor enquanto se pode achar, invocai-o enquanto está perto. Deixe o ímpio o seu caminho, e o homem maligno, os seus pensamentos e se converta ao Senhor, que se compadecerá dele; torne para o nosso Deus, porque grandioso é em perdoar. Porque os meus pensamentos não são os vossos pensamentos, nem os vossos caminhos, os meus caminhos, diz o Senhor" (55.6-8). Deus chama os homens e as mulheres crentes a ocuparem um plano mais alto em suas relações — um plojeto em que a esposa e o marido seguem os caminhos e a vontade de Deus, edificando um ao outro. Num casamento conforme a vontade de Deus, nenhum dos dois detém o poder total. Laurie Hall comenta o seguinte:

> Nos relacionamentos saudáveis, nenhum dos cônjuges sente que não tem poder para decidir nada. Lemos em 2 Timóteo 1.7: "Porque Deus não nos deu o espírito de temor, mas de fortaleza, e de amor, e de moderação". Este versículo deixa claro que a sensação de fortaleza precede o amor e leva à moderação,

que é a marca de uma mente sã. Sem este senso de poder, estamos condenados a viver com medo. É interessante observar que as mulheres que não entendem corretamente o conceito de submissão, e por isso assumem uma posição de passividade e impotência [...], vivem num permanente estado de ansiedade generalizada.[7]

Quando marido e mulher se comprometem a dar liberdade um ao outro, ao invés de tentar controlar um ao outro, "em lugar do espinheiro, crescerá a faia, e, em lugar da sarça, crescerá a murta" (Is 55.13).

Quando estava escrevendo este capítulo, me peguei tentando exercer controle sobre uma decisão que cabia inteiramente a meu marido. Ele está tentando abrir uma empresa doméstica, e precisava de um talão de recibos. Então, mencionou que, depois que as crianças fossem dormir, iria ao supermercado para comprar um. Disse-lhe que tínhamos um programa no computador com modelos de recibo, e poderíamos imprimir um, sem precisar sair de casa.

— Não — disse ele, sem pensar muito no caso —, prefiro comprar um talão.

Não estava achando a menor graça em vê-lo dirigir até o supermercado às 10:30 da noite. Comecei a ficar chateada com isso, porque ele estava muito cansado. Ou seja, por que fazer tanta questão de sair, afinal?

Abri minha boca mais uma vez para tentar convencê-lo a fazer as coisas do meu jeito. Porém, logo fechei, antes de dizer uma palavra a esse respeito, e murmurei algo sobre escrever um capítulo acerca de controle. Em seguida, passei um sermão em mim mesma, mais ou menos nesses termos:

Debra, se ele quer ir ao supermercado às 10:30 da noite, então deixe. Isso é problema dele! Ele lhe dá toda a liberdade de gerir sua empresa doméstica do jeito que você bem entende; agora, dê a seu marido a mesma liberdade. Ele já é um homem crescido!... Sim, e que belo homem!

Sempre que uma mulher tenta controlar seu marido, ela está minando as qualidades que a atraíram quando o conheceu e comprometendo as chances de ter um casamento cheio de romance. Quando entregamos nosso marido a Deus, de forma irrevogável e completa, estamos abrindo caminho para termos prazer com ele e desfrutar de sua masculinidade.

Embora seja tão degradado e mal interpretado, seu poder de redenção é extraordinário. Focalizar nossa atenção num indivíduo, de tal maneira que seus desejos se tornem mais importantes que os nossos, é uma experiência altamente purificadora.

JEANETTE WINTERSON

Casamentos Baseados no Amor

Quando estamos tratando de questões ligadas ao relacionamento conjugal, é muito importante que além de focalizarmos determinados versículos-chave, também examinemos outros princípios que a Bíblia nos ensina. Cristo ensinou que a lei escrita e todas as mensagens dos profetas estão centradas no seguinte conceito: "Portanto, tudo o que vós quereis que os homens vos façam, fazei-lho também vós, porque esta é a lei e os profetas" (Mt 7.12). Jesus nunca disse que isso se aplica a tudo, menos ao casamento. Ele afirmou que esse conceito se aplica a todos os aspectos da vida — e isso inclui o matrimônio. Qualquer ensino sobre o relacionamento conjugal que não esteja alinhado à filosofia de "fazer aos outros" é contrário ao plano geral de Deus para a vida e o casamento.

Um novo mandamento vos dou: Que vos ameis uns aos outros; como eu vos amei a vós, que também vós uns aos outros vos ameis.

JOÃO 13.34

O marido e a mulher que estão colocando em prática Mateus 7.12 estão livres da necessidade de controlar um ao outro. Livres em sua segurança. Livres no mútuo respeito e submissão. Livres em seu amor e alegria. Livres para desfrutar das delícias do sexo e da excitação do romance. Vejamos alguns contrastes entre os relacionamentos baseados no amor e aqueles baseados no controle.

- Um casamento baseado no controle acredita que Deus é, antes de tudo, soberano.

- Um casamento baseado no amor acredita que Deus é, antes de tudo, amor.

Pessoas que vêem Deus como um ditador geralmente acreditam que Ele lhes deu o direito de mandar nos outros. Essas pessoas pensam mais ou menos assim: *Se devemos ser como Cristo é, e Cristo era Deus, então estaremos sendo como Ele se assumirmos o controle.* O único problema com esse raciocínio é que as pessoas que querem exercer domínio sobre os outros não querem que seus cônjuges lhes digam o que fazer, e isto vai de encontro ao que está escrito em Mateus 7.12: "tudo o que vós quereis que os homens vos façam, fazei-lho também vós".

Aquele que não ama não conhece a Deus, porque Deus é caridade (1 Jo 4.8).

Se nós amamos uns aos outros, Deus está em nós, e em nós é perfeita a sua caridade (1 Jo 4.12).

E nós conhecemos e cremos no amor que Deus nos tem. Deus é caridade e quem está em caridade está em Deus, e Deus, nele [...]. Na caridade, não há temor; antes, a perfeita caridade lança fora o temor; porque o temor tem consigo a pena, e o que teme não é perfeito em caridade (1 Jo 4.16,18).

- *Um casamento baseado no controle é centrado em torno de um indivíduo.*

- *Um casamento baseado no amor é centrado em Cristo e, portanto, seu foco é suprir as necessidades do cônjuge e servi-lo.*

Um indivíduo controlador está mais interessado em seus desejos do que nos de qualquer outra pessoa. Ele talvez jamais consiga se entregar completamente ao Senhor ou colocar Deus em primeiro lugar, porque o que deseja é que a sua vontade seja feita. Um casamento baseado no controle é como água e óleo — os dois não conseguem se unir porque um dos cônjuges se recusa a abrir mão de sua ânsia de dominar e controlar o outro.

[O amor] não busca os seus interesses... (1 Co 13.5)

No princípio, era o Verbo, e o Verbo estava com Deus, e o Verbo era Deus. Ele estava no princípio com Deus. Todas as coisas foram feitas por ele, e sem ele nada do que foi feito se fez. Nele, estava a vida e a vida era a luz dos homens; e a luz resplandece nas trevas, e as trevas não a compreenderam (Jo 1.1-5).

- *Um casamento baseado no controle se concentra apenas em algumas passagens das Escrituras e ignora trechos importantes.*

- *Um casamento baseado no amor usa a Bíblia inteira como guia para manter um relacionamento saudável, e ambos os cônjuges olham para Jesus em busca de luz e orientação.*

Um casamento baseado no controle usa a Bíblia, essencialmente, como instrumento de restrição, e não de crescimento espiritual. Essas pessoas constroem teorias baseadas em versículos isolados e fecham os olhos para todas as passagens que contradizem ou, pelo menos, equilibram seus pontos de vista. Por exemplo, há décadas, alguns homens achavam que a passagem sobre submissão em Efésios 5 e 6 dava-lhes o direito de espancar suas mulheres e possuir escravos. O sistema legal apoiava essa tese. Hoje em dia, há homens que acham que esta mesma passagem lhes dá poder ilimitado sobre suas esposas, a ponto de agredi-las verbalmente e tratá-las como seres inferiores — o que, muitas vezes, se aplica às mulheres em geral.

Falou-lhes, pois, Jesus outra vez, dizendo: Eu sou a luz do mundo; quem me segue não andará em trevas, mas terá a luz da vida (Jo 8.12).

Rogo-vos, pois, eu, o preso do Senhor, que andeis como é digno da vocação com que fostes chamados, com toda a humildade e mansidão, com longanimidade, suportando-vos uns aos outros em amor, procurando guardar a unidade do Espírito pelo vínculo da paz (Ef 4.1-3).

- *Um casamento baseado no controle vive de regras que determinam o que pode e o que não pode ser feito, em termos do comportamento exterior.*

- *Um casamento baseado no amor floresce alimentado pela vida interior de cônjuges que têm o amor de Cristo.*

Quando o verdadeiro amor cristão invade o coração de marido e mulher, cada um deles fica tão concentrado em suprir as necessidades do outro que não tem tempo de se preocupar em saber quem está "marcando mais pontos". Apesar disso, cada cônjuge se sente realizado em ter suas necessidades satisfeitas pelo outro e em se dedicar a ele. Neste tipo de casamento, nenhuma das partes fica de braços cruzados, recusando-se a fazer determinada tarefa. Em vez disso, os dois unem suas forças e enfrentam todos os desafios como uma só carne.

E disse Adão: Esta é agora osso dos meus ossos e carne da minha carne; esta será chamada varoa, porquanto do varão foi tomada. Portanto, deixará o varão o seu pai e a sua mãe e apegar-se-á à sua mulher, e serão ambos uma carne (Gn 2.23,24).

A ninguém devais coisa alguma, a não ser o amor com que vos ameis uns aos outros; porque quem ama aos outros cumpriu a lei. [...] O amor não faz mal ao próximo; de sorte que o cumprimento da lei é o amor (Rm 13.8,10).

- *Um casamento baseado no controle gera ressentimento e medo.*
- *Um casamento baseado no amor gera sinceridade e respeito.*

Muitas pessoas que são vítimas de controladores escondem as coisas que compram, suas atividades e seus pensamentos para se protegerem e separarem áreas de sua vida onde possam exercer algum controle. O indivíduo que está sendo controlado por outra pessoa nunca confia completamente no controlador. Ele mantém sua intimidade guardada a sete chaves, e o outro nunca consegue ser verdadeiramente honrado e respeitado por sua vítima.

Eu sou do meu amado, e o meu amado é meu... (Ct 6.3)

- *Num casamento baseado no controle, as decisões do casal são tomadas apenas por um dos cônjuges, e este se preocupa pouco ou nada com o efeito que essas decisões possam ter sobre o outro.*

- *Num casamento baseado no amor, as decisões do casal são tomadas em conjunto e visam ao benefício da família. Às vezes, o casal decide delegar a responsabilidade pela decisão a apenas um dos cônjuges, em razão de sua maior experiência ou conhecimento sobre o assunto.*

Num casamento baseado no controle, a parte oprimida geralmente é convencida de que não tem direito de participar do processo decisório. Isso pode ser resultado de uma visão limitada das Escrituras ou de uma atitude deliberada para minar a autoconfiança do outro. Se a vítima sabe que tem o direito de participar, mas é habitualmente ignorada, terá de lutar com muitos ressentimentos e frustrações. A parte subjugada em geral procura áreas onde possa tomar decisões e, então, esconde os resultados dessas resoluções.

"Num estudo sobre casais, Pepper Schwartz, autora de *Peer Marriage* (Casamento Igualitário — não editado em português), descobriu que, nos casamentos em que há igualdade, existe muito menos abuso de autoridade e disputa pelo poder do que nas uniões infelizes. Schwartz relata que as conversas entre esses casais igualitários são marcadas por perguntas como: *Você concorda?* ou *O que você acha?*"[8] Se um casal que procura seguir a Cristo não consegue chegar a um consenso, eles buscam a Deus juntos, até receber orientação divina.

Deus não faz acepção de pessoas (At 10.34).

Porque, assim como o corpo é um e tem muitos membros, e todos os membros, sendo muitos, são um só corpo, assim é Cristo também. Pois todos nós fomos batizados em um Espírito, formando um corpo, quer judeus, quer gregos, quer servos, quer livres, e todos temos bebido de um Espírito (1 Co 12.12,13).

De modo que, tendo diferentes dons, segundo a graça que nos é dada [...] amai-vos cordialmente uns aos outros com amor fraternal, preferindo-vos em honra uns aos outros (Rm 12.6,10).

- *Num casamento baseado no controle, o marido controlador é sexualmente frustrado.*

- *Num casamento baseado no amor, o marido é sexualmente realizado.*

A esposa de um marido controlador pode fazer sexo com ele, mas não consegue entregar-lhe seu coração porque construiu um muro em volta de si mesma, a fim de se proteger. Embora um ser humano possa ter controle sobre o exterior de uma pessoa, ele nunca terá sua adoração pura. Isso resulta numa vida sexual medíocre ou com uma freqüência muito baixa de relações sexuais. Uma esposa que se sente oprimida, na maioria das vezes, não terá nenhum prazer no sexo e, freqüentemente, rejeitará as investidas do marido. Além disso, um esposo controlador pode acabar descobrindo que sua mulher virou a mesa e usa o sexo como recompensa ou punição.

> Pomba minha, que andas pelas fendas das penhas, no oculto das ladeiras, mostra-me a tua face, faze-me ouvir a tua voz, porque a tua voz é doce, e a tua face, aprazível (Ct 2.14).

- *Num casamento baseado no controle, a esposa controladora usa o sexo como forma de manipulação.*
- *Num casamento baseado no amor, a esposa se esforça em satisfazer as necessidades sexuais do marido.*

Uma esposa controladora procura áreas em que possa exercer o seu domínio. Geralmente, ela percebe a grande necessidade que seu marido tem de sexo e usa isso contra ele. Tal postura gera uma vida sexual pouco estimulante, porque sempre é ofuscada pela necessidade de domínio. Essa atitude mina a masculinidade do homem e quebra seu ânimo, porque ele se torna um mendigo.

> Esta é a voz do meu amado; ei-lo aí, que já vem saltando sobre os montes, pulando sobre os outeiros. O meu amado é semelhante ao gamo ou ao filho do corço; eis que está detrás da nossa parede, olhando pelas janelas, reluzindo pelas grades. O meu amado fala e me diz: Levanta-te, amiga minha, formosa minha, e vem (Ct 2.8-10).

- *Num casamento baseado no controle, o chauvinismo em geral toma conta do relacionamento.*
- *Num casamento baseado no amor, marido e mulher sabem que ambos foram criados à imagem de Deus.*

O controlador sempre despreza sua vítima, geralmente por algum preconceito ligado ao gênero. Se uma mulher acredita que seu esposo é um "inútil como todos os homens", anulará todos os seus esforços para realizar o que quer que seja. Se um homem acha que sua esposa é uma "idiota como toda mulher", jamais deixará que ela tome decisões importantes por sua própria conta. Quando as pessoas consideram o sexo oposto inferior, estão menosprezando a Deus, porque Gênesis 1 afirma que *homem e mulher foram criados à imagem de Deus.*

E criou Deus o homem à sua imagem; à imagem de Deus o criou; macho e fêmea os criou (Gn 1.27).

Assim também vós, cada um em particular ame a sua própria mulher como a si mesmo, e a mulher reverencie o marido (Ef 5.33).

Se você reconheceu seu casamento nas descrições de relacionamentos baseados no controle, desafio você a iniciar imediatamente a jornada para consertar essa situação. O primeiro passo é ser honesta consigo mesma e com seu cônjuge. Se você é controladora, peça perdão a Deus. Em seguida, entregue sua vida e seu marido nas mãos do Senhor. Tenha fé na sabedoria de Deus e confie em seu poder para mudar sua vida e seus relacionamentos para melhor. Depois, peça a seu marido que a perdoe. Se ele concordar, peça-lhe que ore por você em voz alta. Seja generosa a ponto de permitir que seu marido chame a sua atenção se você começar a agir como antes — e corrija-se. Este processo exigirá grandes doses de coragem e, muito provavelmente, longas noites de joelhos diante de Deus. Todavia, a liberdade que experimentará em seu casamento não tem preço.

Se seu marido é um controlador, convença-se de que não adianta nada partir para um confronto com ele; isso apenas piorará as coisas. Ficar calada também só permitirá que o controle continue e torne mais arraigados os padrões negativos. Então, o que você pode fazer? Ore por seu marido, para que ele veja que seu modo de agir está errado. Talvez precise ficar orando continuamente durante um ou dois anos, mas tenha a certeza de que Deus não despreza a oração de uma mulher justa e honrada. Gentil e amorosamente, diga a seu marido que o seu comportamento está sufocando seu amor por ele. Talvez tenha de repetir a mesma mensagem várias vezes, em dias diferentes e com toda a humildade, até que ele consiga entender o que você está tentando dizer.

Peça-lhe que leia este capítulo. Continue a suprir suas necessidades sexuais e faça o melhor possível para ser uma excelente esposa. Lembre-se: quando ele vir que você está se esforçando para satisfazer suas carências na área sexual, provavelmente irá querer retribuir de alguma forma. Se for conveniente, procure um conselheiro matrimonial cristão cujo objetivo seja fazer com que seus aconselhados tenham casamentos bíblicos e equilibrados, que honrem tanto o marido quanto a mulher.

Aplicando a Teoria

O Aspecto Cultural

Ironicamente, muitas vezes o namoro é baseado no amor e o casamento, no controle. Na minha opinião, esta é uma das grandes desilusões de muitos casamentos. É como se houvesse um grito sufocado na garganta; algo como: *Eu pensei que você me amasse!* Às vezes, bem lá no fundo, as pessoas sabem que um casamento baseado no controle não pode trazer felicidade, mas elas não conseguem agir de outra maneira. Não se surpreenda se forem necessários vários anos para quebrar esse padrão. Muitos casais vivem nessa situação — e, uma vez apanhados nessa armadilha, são poucos os que conseguem escapar. *Sejam um dos poucos!* Não tenham medo de tornar-se, verdadeiramente, uma só carne.

O Aspecto Espiritual

Se você não se tornar uma guerreira de oração, pode ir perdendo as esperanças de escapar do padrão de comportamento baseado no controle. É aqui que está o *"x* da questão". Um controlador só encontrará libertação quando se entregar a Deus. Uma pessoa que se dispõe a dominar seu cônjuge ainda precisa entregar todo o seu coração ao Senhor. Existe uma profundidade na vida espiritual que muitos se recusam a sondar. Ela só pode ser alcançada por alguém que dedica várias horas por semana a orar, cujo coração está inteiramente sujeito à vontade de Deus e que medita na Palavra de Deus. Um coração como esse alcançará a bênção de que precisa, quer seja a libertação do desejo de controlar os outros, quer seja a graça para suportar com perseverança o tempo necessário até que seu cônjuge controlador acorde para a necessidade de ter um casamento segundo o padrão bíblico.

A Vida Real

Se seu marido é controlador, talvez você esteja se perguntando se vai continuar tentando dominá-la até morrer. Nossa esperança é que ele ouça seus apelos e mude de comportamento. Nossa esperança é que ele ouça a voz do Senhor. Mas não há garantias. Deus deu opção a Adão e Eva, no jardim do Éden, e ainda hoje deixa a decisão nas mãos de cada um. Decida-se a perseverar em amor, respeitar e orar por seu marido. Muitas mulheres têm testemunhado transformações milagrosas em casamentos que julgavam sem solução.

Pontos Importantes na Oração pelo Romance

Se você está lutando com problemas ligados à questão do controle, as sugestões abaixo podem ser o início de sua caminhada rumo à liberdade em seu relacionamento conjugal.

- Peça a Deus que tire de seu coração a necessidade de controle.

- Peça ao Senhor que a livre do medo que, muito provavelmente, está por trás de sua necessidade de controle.

- Ore para que o Senhor revele a fonte desse medo.
  Peça a Deus força espiritual para confessar esse pecado ao seu cônjuge e começar uma nova era em seu relacionamento a dois.

- Se o cônjuge controlador for o seu marido, entregue-o a Deus e ore por ele, usando os pontos de oração listados anteriormente.

- Peça a Deus que lhe dê coragem para ser franca com seu marido a respeito dos padrões negativos de seu casamento; mas sempre com palavras cheias de amor.

Idéias Românticas

Eis que és formosa, amiga minha, eis que és formosa; os teus olhos são como os das pombas entre as tuas tranças, o teu cabelo é como o rebanho de cabras que pastam no monte de Gileade. Os teus dentes são como o rebanho das ovelhas tosquiadas, que sobem do lavadouro, e das quais todas produzem gêmeos, e nenhuma há estéril entre elas. Os teus lábios são como um fio de escarlata, e o teu falar é doce; a tua fronte é qual pedaço de romã entre as tuas tranças.

CANTARES 4.1-3

O que Fiz

Somos membros de uma igreja pequena, numa cidade rural. Todo domingo à noite, depois do culto, praticamente a congregação inteira vai a uma grande lanchonete que faz parte de uma cadeia de lojas famosa no lugar. Contudo, numa determinada noite, nossos filhos pegaram carona no carro do pastor e ficamos sozinhos. Quando Daniel e eu entramos no estacionamento da lanchonete, pensei: *Tenho que seqüestrar este homem por uns cinco minutos e dar-lhe um beijo que ele jamais esquecerá.* Então, dei uma volta no estacionamento, peguei a estrada novamente e fui parar num lugar isolado, escondido debaixo de umas árvores. Assim que desliguei o carro, agarrei Daniel pelo colarinho, puxei-o para mim e dei-lhe um beijo de fazer ferver as orelhas.

O Motivo

Isso criou uma sensação de suspense e expectativa — ainda que só por cinco minutos. Daniel não tinha a menor idéia do que eu ia fazer — e não contaria por nada deste mundo! Como estava dirigindo a caminhonete, o "controle" da situação estava nas minhas mãos. Essa foi uma situação em que controlar foi apenas uma travessura divertida e excitante!

Como me Senti

Com certeza, muito esperta.

Obstáculos que Tive de Vencer

Por um momento, passou pela minha cabeça o seguinte pensamento: *Será que nossos irmãos da igreja vão perceber que estamos atrasados e imaginar o que aconteceu?* Mas, depois, raciocinei que, se eles percebessem, não seria nada demais. No final, ninguém suspeitou de nada.

A Reação dele

Quando percebeu que eu não ia estacionar em frente à lanchonete, ele perguntou:

— O que você está fazendo? Para onde estamos indo?

Dei apenas um sorriso e continuei dirigindo. Assim que paramos embaixo da árvore e agarrei sua camisa, ele já estava com um largo sorriso no rosto. Quando o beijo acabou, disse algo cujo sentido geral era: "Ótimo!"

O que Gostaria de Ter Feito

Este foi um daqueles momentos em que tudo saiu perfeito. Não planejei nada; só aconteceu. A única coisa que lamento é não ter pensado nisso antes.

Cortando Gastos

Não faço a menor idéia de quanta gasolina gastei para dirigir até o outro estacionamento — talvez não tenha custado nem uma moedinha!

7
Sobrevivendo às Tempestades

O ódio excita contendas, mas o amor cobre todas as transgressões.

PROVÉRBIOS 10.12

EM 19 ANOS DE CASAMENTO, meu marido e eu tivemos nossa cota de desentendimentos. Francamente, alguns deles pareciam um "Armagedom verbal". Nos primeiros anos, éramos como qualquer casal: tínhamos tantas discussões que, se tivéssemos permitido, os ressentimentos teriam nos acompanhado até o dia de hoje. Houve também muitas ocasiões em que não brigamos apenas porque um dos dois sufocou suas emoções e mordeu a língua. Com certeza, causamos muito sofrimento um ao outro.

Um dos fatos da vida é que em todo casamento existem conflitos. Quanto mais imaturo for o casal, espiritual e emocionalmente, maior a probabilidade de haver desentendimentos entre eles. Quais são os motivos das discussões de vocês? Tenho certeza de que você já percebeu que existem: 1. conflitos; 2. Conflitos; 3. **Conflitos**; 4. *Conflitos*; e, finalmente, 5. ***Conflitos!***

1. conflitos. São aquelas coisinhas que incomodam. Por exemplo, meias sujas. Qual é o problema que os homens têm com as meias? Quer seja médico quer seja faxineiro, é quase certo que deixe suas meias sujas largadas pela casa. É como um rito de passagem masculino. Não ficaria nem um pouco surpresa se descobrisse que, antes dos filhos se casarem, seus pais os chamariam num canto e diriam: "Muito bem. A primeira coisa que você precisa se lembrar é de deixar suas meias sujas espalhadas pela casa". (Se seu marido não é vítima dessa síndrome, substitua-as por qualquer outra coisa que a aborreça.)

Houve uma época em que eu andava pela casa catando as meias do meu marido. Mas, toda vez que tinha de fazer isso, ficava com muita raiva e reclamava:

— Nunca vou entender por que um homem crescido não consegue pegar suas meias e jogar no cesto de roupa suja. Tenho mais o que fazer, além de juntar as meias dele!

No entanto, isso foi antes de eu me apaixonar perdidamente pelo meu próprio marido. Quando realmente me apaixonei por ele — com o amor incondicional discutido no capítulo 2 — suas meias sujas já não me incomodavam mais. Elas se transformaram numa bênção! Sei que, a esta altura, você deve estar pensando que entreguei os pontos. Nada disso! Entreguei o coração! Entreguei-o ao homem mais maravilhoso que existe. Hoje, sinto-me realmente honrada de poder apanhar suas meias sujas. Sem elas, não teria o meu amado. Elas são a evidência de que tenho um marido maravilhoso, e fico feliz de poder completá-lo, pegando suas meias.

Seu marido tem algum hábito que faz você sair do sério? Peça a Deus que encha seu coração de amor incondicional por ele e faça com que aquilo que sempre a irritou passe a ser uma bênção!

Para resolver conflitos, é necessário permitir que o amor incondicional ponha as idiossincrasias na perspectiva certa. Para isso, é preciso entender primeiro que *todos* têm suas manias. Por exemplo, existe algo que faço, e meu marido não consegue entender. Sempre que saio do meu quarto, deixo a porta do armário aberta e a luz acesa. Como a porta do quarto bate na porta do armário, Daniel está sempre tendo de apagar a luz e fechar o armário. Para ele, isso é como apanhar meias sujas. Mas não deixo o armário aberto e a luz acesa de propósito. Nunca pensei: *Vou largar a porta escancarada e a luz acesa para deixá-lo irritado. He he he!* Por alguma razão, não consigo me livrar desse problema, porém não é por mal. O amor incondicional transforma esses conflitos em carinho.

2. Conflitos. Estes são as briguinhas que surgem entre qualquer casal, aparentemente sem motivo algum. Muitas vezes, elas são causadas por estresse, ansiedade ou cansaço de um dos cônjuges, ou de ambos; e em geral desaparecem por completo assim que os dois pedem desculpas. Até mesmo os casais mais apaixonados

têm seus desentendimentos de vez em quando e não causam nenhum dano permanente ao relacionamento do casal. O perdão vem com facilidade e este tipo de discussão em geral se resolve naturalmente antes da hora de dormir. Embora durante essas desavenças, às vezes, fiquemos na dúvida se o outro é deste planeta ou não, um espírito de amor e perdão põe um ponto final no problema.

3. **Conflitos.** Estas são as grandes brigas que ocorrem por um motivo específico, e não se repetem. Por exemplo, quando um cônjuge descobre que o outro não seguiu seu conselho num determinado negócio. Ou quando a mulher chega em casa e descobre que o marido mandou pintar as paredes de verde-ervilha e rosa-choque, sem falar nada com ela. Muitas vezes, esses verdadeiros terremotos familiares são causados por pura ignorância.

Esse tipo de **Conflito** em geral requer um pouco mais de tempo para se resolver completamente. Entretanto, a sinceridade, o amor e o perdão costumam resolver esses problemas de maneira satisfatória.

4. *Conflitos*. Esses são os colossais. Este tipo de problema, às vezes, é causado por algo que surgiu logo no início do casamento, e pode ter traços de traição, por causa da quebra de algum voto conjugal. Todavia isso não significa, necessariamente, que a pessoa cometeu adultério. Os votos que fazemos também contêm promessas de respeito e carinho. Por exemplo, vamos supor que encontre uma carta que seu marido escreveu a uma antiga namorada depois que vocês se casaram. Mesmo que ele nunca tenha posto a carta no correio, nem tenha se encontrado com ela pessoalmente, a traição existe. Ou digamos que um de vocês tenha tido um caso. Ou, então, que você ou seu marido gaste muito dinheiro num vício secreto, como o jogo, ou que tenha o hábito de mentir sobre as finanças para encobrir gastos excessivos. Os *Conflitos* variam entre moderados e extremos. Por exemplo, se seu cônjuge escreveu uma carta a uma mulher, mas nunca a enviou, isso não é tão sério quanto ter um caso com seis mulheres. O ponto crucial dos *Conflitos* é que eles envolvem uma traição de confiança e podem deixar uma marca no casamento para sempre. Provavelmente, você sabe quais foram os *Conflitos* que já enfrentou.

Se sua vida conjugal é uma sucessão de desentendimentos — mais aborrecimentos que alegrias —, isto pode ser um sinal de que seu casamento está contaminado por esta praga. Todo matrimônio enfrenta problemas, de vez em quando. Contudo, quando as tempestades são constantes, é sinal de que o casal está numa situação negativa. *Conflitos* não resolvidos fazem com que o casamento seja um ciclo de conflitos, Conflitos e **Conflitos**. Entretanto, geralmente, esses grandes problemas não são debatidos. O casal prefere varrê-los para debaixo do tapete, porém acabam aflorando quando pequenas coisas, como meias sujas e portas de armário abertas, viram motivo de verdadeiras batalhas campais. Depois de anos ignorando assuntos importantes, marido e mulher podem perder a capacidade de "enxergar" um ao outro, em virtude da montanha que se ergueu entre eles. Neste ponto, muitos casais pedem o divórcio.

Parte da solução desses *Conflitos* consiste em quebrar o ciclo de silêncio e tentar resolver os problemas, um de cada vez. Se você começa desenvolvendo intimidade com Deus, Ele trará essas questões à tona. Se existe um pensamento, em concordância com a Palavra de Deus, que fica sempre voltando à sua mente enquanto está orando, ou se repete várias vezes ao longo do dia, pode ter certeza de que Deus está se comunicando com você. Pode ser que Ele queira que exercite o amor incondicional e o perdão em relação a seu marido. Pode ser que o Senhor precise fazer o mesmo em relação a você. Não é da vontade de Deus que o amor de um casal seja bloqueado por esse tipo de problema. Comece a orar hoje mesmo para que o seu casamento seja liberto da servidão dos *Conflitos*.

5. **Conflitos.** Este geralmente envolve abusos físicos ou sexuais, e graves maus-tratos verbais, emocionais ou espirituais. Se for este o seu caso, saiba que há muitos casais na mesma situação. Paul Hegstrom, autor de *Angry Men and the Women Who Love Them* (Maridos Violentos e as Mulheres que os Amam), era um homem que batia na mulher e vivia em adultério, mas foi liberto por Deus. Hoje, ele e a esposa têm um casamento sólido e bem estruturado. Em seu livro, Hegstrom fala sobre toda a escala de maus-tratos e dá esperança e encorajamento aos que estão presos nesta terrível situação conjugal. Se você já foi vítima de abuso,

precisa ter coragem para chamar a polícia e procurar um abrigo seguro. Entretanto, nunca se esqueça de que Deus é especialista em curar relacionamentos e libertar famílias em situações de sofrimento.

A mensagem de Hegstrom me fez apreciar ainda mais o homem que Deus me deu. Depois de ler seu livro, senti um amor e um respeito tão grande por meu marido que o agarrei com força e beijei todo o seu rosto. Além disso, a história de Hegstrom fez com que me tornasse uma pessoa muito mais determinada a ver os conflitos na perspectiva correta e procurar resolvê-los, antes que assumam proporções maiores.

"Quando um casal não está se entendendo bem e enfrenta conflitos não resolvidos, os dois precisam reconhecer, em primeiro lugar, que seu relacionamento vale muito mais do que o ponto de discórdia que surgiu entre eles. A primeira coisa que o casal precisa fazer numa situação de conflito é identificar o problema e procurar resolvê-lo *junto*, e não cada um individualmente."[1] Provérbios 10.12 diz: "O ódio excita contendas, mas o amor cobre todas as transgressões". O amor incondicional de Deus enxerga além do conflito, e nos torna capazes de ver o coração do nosso cônjuge. Não se esqueça de que, no casamento, o que o homem e a mulher mais necessitam é de amor incondicional.[2] Este amor não deseja provar que está certo, às custas do relacionamento do casal; nem tenta manipular e controlar o outro. O verdadeiro amor dá a vida pela outra pessoa. Embora os cônjuges realmente comprometidos afirmem que seriam capazes de morrer um pelo outro, é importante, também, que eles permitam que o Senhor os capacite a serem instrumentos do amor de Deus, vivendo para Ele e um para o outro.

Estou convencida de que o principal veículo da cura de Cristo é a nossa atitude de *gastar tempo com Deus, para que seu amor nos envolva completamente*. A palavra "amor" é usada de uma forma tão fútil hoje em dia, que seu significado se esvaziou quase totalmente. Por isso, quando falamos sobre o amor de Deus, nossa tendência é confundi-lo com a emoção superficial e barata que se vê por aí. Porém, o amor de Deus está muito além do conhecimento, da capacidade ou da experiência humana. Assim, quando separamos tempo — várias horas por semana — para nos deixarmos envolver por este amor, o poder de Deus, que é capaz de curar nosso coração, casamento e lar, é liberado na nossa vida de uma forma tão surpreendente que nos deixa sem fala.

Da mesma forma que a morte de Cristo na cruz nos livra da servidão do pecado, ela também tem poder para livrar nosso casamento da maldição do passado. Muitas vezes, os problemas e as brigas do passado são como um fantasma que persegue o casal pelo resto da vida. Mas a vida conjugal não precisa ser assim. Não importa o que tenha acontecido, Jesus Cristo pode — e vai — capacitá-la a enfrentar a situação, e depois curará as feridas de sua alma e de seu casamento.

Que conflitos não resolvidos existem entre você e seu marido? Sejam quais forem, espero que o texto abaixo possa encorajá-la a enfrentar os erros cometidos no passado, perdoar as ofensas que a magoaram e seguir adiante, para um brilhante futuro no Senhor. O texto narra a história verídica de um casamento que se manteve de pé, apesar de todas as tempestades que o atingiram.

Um Casamento que Sobreviveu
Erica Meiers[*]

Posso dizer que tenho um casamento maravilhoso com um homem realmente especial; porém, minha vida não foi sempre assim. Pouco antes de nosso quinto aniversário de casamento, meu marido confessou que já havia tido três casos durante aqueles cinco anos, e que queria começar a se encontrar com outra mulher.

Diante disso, arrumei as malas de Ray e mandei que ele saísse de casa. Naquela época, estava esperando nosso terceiro filho, e a legislação do estado em que morava não permitia que um casal se divorciasse enquanto a mulher estivesse grávida, de modo que não pude fazer nada por alguns meses. Entretanto, embora não fosse cristã, sabia que Deus podia salvar meu casamento.

Todos os dias, pedia a Deus que abrisse os olhos do meu marido para que ele pudesse ver o que estava fazendo e compreendesse o que estava jogando fora. É claro que também orava por mim mesma, pedindo a Deus que me desse forças para continuar "vivendo".

---
[*] Os nomes e algumas situações foram alterados para proteger a privacidade das pessoas envolvidas.

Estava arrasada. Minhas emoções eram como uma gangorra. Num dia, odiava meu marido — afinal, como ele tinha coragem de fazer uma coisa dessas comigo? Não era justo! Em outros, chorava até me acabar, porque o amava demais e não conseguia suportar a idéia de viver sem ele. Nos dois meses seguintes, aprendi a depender de Deus para ter alegria (que, honestamente, não era muita) e força. Comecei até a procurar em Deus um significado para a minha vida. Todos os dias, orava e lia minha Bíblia.

Aproximadamente dois meses depois que meu marido me deixou, nosso bebê nasceu. Precisei fazer uma cesariana e ele pediu para ficar lá em casa durante minha recuperação. Embora não tivesse certeza de que seria uma boa idéia, deixei que voltasse para me ajudar com os outros dois meninos. Durante as duas semanas de minha convalescença, Ray chegou à conclusão de que não queria jogar fora nosso casamento. Ele marcou uma entrevista com o pastor de um amigo nosso, contou-lhe tudo o que tinha acontecido e, ao final da conversa, recebeu Jesus como seu Senhor e Salvador. Depois que me contou o que tinha acontecido, também fui à igreja e aceitei a Jesus. Nos convertemos com uma diferença de dias, e talvez aquela tenha sido a época mais feliz da minha vida! Meu marido e eu decidimos investir no nosso casamento, pois sabíamos que, com a ajuda de Deus e a nossa determinação, poderíamos deixar o passado para trás.

Ao mesmo tempo, nasceu no meu coração o desejo sincero de que as outras mulheres com que ele tinha se envolvido também tivessem a salvação. Como acabara de ser alcançada pela graça do Senhor, tive certeza de que Deus poderia acabar com todos os problemas delas, desde que abrissem o coração para Ele. Todavia, em pouco tempo, descobri que aquelas mulheres estavam vindo à minha mente com muita freqüência e, quando isso acontecia, meus pensamentos mudavam completamente. Em vez de desejar a salvação delas, estava desenvolvendo uma obsessão torturante. Pensava nelas com Ray. Imaginava-o nos braços delas. Lembrava-me das coisas que tinham dito para mim, e de como fingiram ser minhas amigas enquanto dormiam com meu marido. Esses sentimentos foram crescendo e comecei a odiar Ray novamente. Muitas vezes, ele chegava em casa do trabalho e o tratava mal — sem que fizesse a menor idéia de por que eu estava agindo assim.

À noite, os pesadelos não me deixavam dormir direito e, de dia, minha mente ficava fervilhando, imaginando cenas do meu marido na cama com suas amantes.

Finalmente, não pude mais suportar aquele tormento e fui conversar com meu pastor. Ele disse-me que Satanás estava colocando aqueles pensamentos na minha mente para me oprimir. Seu conselho foi que, em vez de alimentar idéias torturantes, deveria orar por aquelas mulheres toda vez que pensasse nelas. Com o tempo, Satanás acabaria desistindo de atormentar meus pensamentos. Obviamente, o Inimigo não queria que eu orasse pela salvação daquelas almas. Meu pastor acreditava que Deus me ajudaria a perdoá-las e entregá-las nas mãos dEle, e então faria outro crente orar por elas — alguém que não tivesse sido tão ferido como fui.

Depois disso, empenhei-me de verdade em perdoá-las. Toda vez que pensava nelas, dizia a Deus que as perdoava e pedia-lhe que enviasse alguém a lhes pregar a mensagem da salvação. Demorou ainda uns dois meses, mas chegou um momento em que raramente pensava nelas, e, quando isso acontecia, era quase sem nenhuma emoção. As lembranças já não doíam mais.

Enfim, as coisas se assentaram. Ray até saiu de seu antigo emprego, porque o trabalho que fazia não o ajudava a ter uma vida familiar saudável, e nosso desejo era que ele arranjasse uma nova atividade para passar mais tempo conosco. Agora, íamos à igreja juntos, passávamos todas as noites em família e fazíamos outras atividades em conjunto. Acho que não tive grande dificuldade de perdoá-lo porque Deus acabara de perdoar todos os meus pecados, e eu tinha certeza de que Ele sempre estaria em primeiro lugar na nossa vida — e que nunca mais haveria traição.

Foi então que, de repente, comecei a sentir que Deus queria que me envolvesse mais na adoração, e passei a louvá-lo o dia inteiro, todos os dias. Cantava lavando louça, varrendo a casa, limpando o banheiro. Meus filhos e eu andávamos pela casa louvando ao Senhor. Deus se tornou meu foco. De tarde, na hora em que os meninos tiravam um cochilo, aproveitava para ler a Bíblia. De noite, os deitava na cama, colocava uma fita de louvor, cantava e orava, enquanto dobrava a roupa lavada. Quando terminava as tarefas domésticas, ajoelhava-me na sala, no escuro, e derramava meu coração diante do Senhor. Durante essa época, meu crescimento espiritual deu um salto enorme. O Senhor estava me conduzindo, diariamente, a um nível de intimidade com Ele que me capacitasse a suportar toda a confusão que estava para acontecer...

Tenho de fazer uma pausa aqui para dizer que, embora Deus soubesse de tudo o que iria ocorrer, não foi Ele quem causou a situação negativa. Essas coisas não ocorrem por vontade do Senhor. Se você está passando por algo semelhante ao meu, por favor, não caia na armadilha de pôr a culpa em Deus. Lembrando agora das circunstâncias que antecederam aquele período da nossa vida, vejo claramente que Ele tentou nos guiar e impedir que o mal nos atingisse.

Durante aquela fase, meu marido arranjou outro emprego e foi mandado para um treinamento longe de casa, por um tempo muito maior do que qualquer homem deveria passar longe da família. Por causa disso, ele começou a perder o contato conosco. Ray ainda nos amava muito e sentia tremendamente a nossa falta, mas não participava mais do nosso dia a dia. Aos poucos, foi se acostumando com isso. Quando suas tarefas passaram a exigir muitas horas de trabalho, era mais fácil ficar lá e trabalhar do que ir para casa e tentar reaprender a conviver conosco. Ele começou a trabalhar das oito da manhã até meia-noite ou mais, até mesmo nos dias em que deveria estar de folga. Não demorou muito para começar a faltar aos cultos toda quarta e todo domingo. Finalmente, desistiu de tentar ir à igreja, e ficava apenas mergulhado no trabalho. Foi então que começou a aconselhar uma colega que estava tendo problemas no casamento. Isso fez com que se desenvolvesse uma amizade entre os dois, que acabou se transformando em muito mais do que isso.

De início, só percebi que ele não queria mais ir à igreja, porém não sabia que estava tendo um caso. Orava por ele o tempo todo e pedi a outros irmãos e irmãs da igreja que orassem também. Diariamente, havia muitas pessoas colocando-o no altar de Deus, que ele não tinha a menor chance!

Num domingo à noite, durante o culto, no período de louvor e adoração, estava em pé, cantando, quando de repente tive uma visão. Vi meu marido num lugar muito, muito escuro. Então, ouvi uma voz vinda do lado direito, dizendo: "O poder do Inimigo está quebrado na vida de Ray. Eu declaro que o poder do Inimigo está agora quebrado na vida de Ray. O Inimigo não tem mais poder sobre sua vida". Essas palavras foram repetidas inúmeras vezes.

Depois disso, vi meu esposo cercado por demônios. Eles estavam em volta dele, num círculo tão apertado que não dava para passar nem uma folha de papel entre um e outro. Via apenas os seus corpos. Eram mais baixos que Ray, que tem mais de um metro e oitenta de altura, mas pareciam mais fortes. O que via, na verdade, eram as trevas que os cercavam. A cena me deixou realmente impressionada por causa da completa escuridão. Apesar disso, conseguia ver Ray e os outros, distintamente.

Lembro-me de ter visto cores e imagens, contudo a escuridão e a voz foram o que mais me chamou a atenção. A voz parecia vir de um ponto no canto superior direito da escuridão e, quando começou a falar, os demônios que estavam em volta de Ray tombaram todos para o mesmo lado, como se fossem pedras de dominó caindo, uma atrás da outra. De repente, eles desapareceram, e as correntes, cordas e grilhões que prendiam Ray caíram no chão e também sumiram. Então, comecei a chorar. Sabia que acabara de ouvir a voz do Senhor, e estava tremendo, todavia encantada. Deus estava fazendo uma obra extraordinária na vida do meu marido. Naquele momento, a única coisa que sabia era que ele estava se afastando do Senhor. Imediatamente, contei à igreja o que tinha acontecido e pedi a todos que não parassem de interceder por meu esposo.

Na manhã seguinte, telefonei para minha melhor amiga, que morava em outro estado, e, enquanto estava contando o que tinha acontecido, ouvi a voz do Senhor outra vez: "A última glória será maior do que a primeira, no seu relacionamento com Ray". Estava atônita. Ter uma visão já era algo impressionante, mas ouvir Deus falar audivelmente... fiquei muda por alguns minutos (depois disso, nunca mais tive outra visão, e só ouvi a voz do Senhor daquele jeito mais uma vez).

Nos meses que se seguiram, as coisas entre meu marido e eu começaram a piorar cada vez mais. Passei a perceber alguns sinais no comportamento dele que indicavam que estava sendo infiel: não me procurava mais, ficava no trabalho até tarde da noite, não estava nunca onde deveria estar e demorava um longo tempo para retornar meus recados. Além disso, ficava muito irritado quando perguntava o que iria fazer num determinado dia e nunca estava em casa na hora em que dizia que estaria. Quando perguntava por que tinha se atrasado, ficava muito enraivecido. Em situações em que costumava ser gentil comigo, agora ficava indiferente ou impaciente. Lembro-me de uma véspera de Ano Novo em que disse que estaria em casa antes da meia-noite para que pudéssemos celebrar a passagem de ano juntos. Às 3:30 da manhã, Ray ainda não havia chegado, então como não conseguia entrar em contato com ele no trabalho, onde me disse que estaria, liguei para a polícia e pedi que eles passassem pelo restaurante onde trabalhava e verificassem se estava lá. A polícia me ligou pouco depois, dizendo que estava tudo trancado e apagado no restaurante. Finalmente, cerca de duas horas depois, Ray chegou em casa, mas negou a acusação de que estivesse tendo um caso.

Mesmo em face de todos esses sinais, não queria acreditar que Ray estivesse me traindo de novo. Um dia, o marido da outra mulher acusou meu esposo abertamente de estar tendo um caso com sua esposa. Ray negou tudo, dizendo que o sujeito estava aborrecido por causa do divórcio e queria arranjar alguém para pôr a culpa. Preferi acreditar no meu marido; afinal, éramos crentes.

Depois disso, quase todas as vezes que lia a Bíblia, sentia que alguns trechos da Palavra de Deus estavam falando claramente comigo. Em geral, eram versículos que me davam esperança e força. A passagem que mais falou ao meu coração naquela época foi Romanos 4.18,20,21. Vou partilhá-la com você do modo que o Espírito Santo a revelou para mim: "[A] qual, em esperança, creu contra a esperança [...]. E [Erica] não duvidou da promessa de Deus por incredulidade, mas foi fortificad[a] na fé, dando glória a Deus; e estando certíssim[a] de que o que ele tinha prometido também era poderoso para o fazer". Minha "promessa" era a visão que Deus havia me dado. Acreditei que Ele faria o que tinha dito. De alguma forma, bem lá no fundo, sabia que a situação ainda ficaria muito pior antes de melhorar. Deus estava me mostrando como permanecer firme no Senhor para que as ondas da adversidade não me jogassem de um lado para o outro.

Durante o período que se seguiu, muitas outras coisas aconteceram, e Deus falou muito comigo através da leitura de sua Palavra. Uma das verdades mais importantes que aprendi foi revelada numa noite, quando estava orando. Esta foi a única vez em que ouvi, literalmente, a voz de Deus falando comigo. Já tinha orado, e chorado, e orado mais, quando por fim me aquietei e fiquei na presença de Deus. De repente, o ouvi dizer: "Você pode orar por Ray com a mesma autoridade e confiança com que ora por si mesma, porque vocês dois são uma só carne". Naquele momento, algo mudou radicalmente na minha vida.

Até então, sempre tinha medo de orar por Ray, porque não tinha certeza de qual era a vontade de Deus e não sabia até onde deveria ir na oração. Não queria fazer suposições infundadas nas minhas orações, de modo que era de fato bastante cautelosa. No entanto, daquele dia em diante, minha maneira de orar mudou drasticamente. Tomei uma posição contra o Inimigo. Àquela altura, não sabia mais se Ray estava sendo honesto comigo ou não, mas sabia que, definitivamente, ele estava sob ataque demoníaco. Então, comecei a assumir o lugar de Ray na batalha espiritual contra as forças das trevas. E posso afirmar com toda a franqueza que nunca fui tão ousada em toda a minha vida.

Quase um mês depois, telefonei para minha amiga e pedi-lhe que orasse por mim naquele dia. Eu sabia, no fundo do meu coração, que Ray me contaria tudo. Subitamente, passei a admitir que ele estava tendo um caso, e estava pronta para enfrentar a realidade. Cerca de duas horas depois, meu esposo me ligou e perguntou se teria alguns minutos livres, porque queria conversar comigo. Assim que chegou em casa, Ray me contou tudo e perguntou o que queria que ele fizesse. Disse-lhe que precisava enfrentar as conseqüências de seus atos, e que iria arrumar suas malas naquela mesma noite, depois que os meninos fossem dormir.

Depois disso, as lembranças são meio confusas na minha mente. Contudo, lembro-me de que Deus me orientou para entrar com um pedido de separação de corpos. Não sabia por que o Senhor queria isso, porém achava que talvez fosse porque Ray precisava de algo que abrisse seus olhos. Mas não requeri a separação; pedi o divórcio. Como não fiz aquilo que, no meu coração, sabia que Deus estava me mandando fazer, nunca saberei como Ele planejava resolver aquela situação. Escolhi a saída fácil; fiz as coisas do meu jeito. Muitas vezes, fico me perguntando o que teria acontecido se tivesse obedecido "ao pé da letra", em vez de fazer a vontade de Deus pela metade.

Tendo tomado minha decisão, fui ao escritório do advogado para assinar os papéis do divórcio numa segunda-feira. Na quarta seguinte, arrumei as malas com as minhas coisas e as das crianças; e depois fui para a casa de minha mãe. Ele arranjou um cantinho para ficarmos durante uma semana mais ou menos, enquanto eu procurava um emprego e um outro lugar para morar com meus filhos. No domingo, Ray telefonou dizendo que não podia mais continuar com sua namorada. Disse que, simplesmente, não podia prosseguir com aquele relacionamento, e pediu uma chance para conversarmos sobre o assunto.

Minha nossa! Eu estava de fato surpresa! Tinha se passado apenas uma semana, desde que assinara os papéis. Não esperava que o Senhor trabalhasse tão depressa. Entretanto, àquela altura, já não sabia se *queria* deixar Deus trabalhar no nosso casamento. Apesar de todas as minhas orações e do meu compromisso com Deus, a mágoa era muito grande. Não queria me arriscar a passar por tudo aquilo de novo. Afinal, os primeiros casos aconteceram antes de entregarmos a vida a Deus; mas, desta vez, a infidelidade ocorreu depois que nos tornamos cristãos. Não havia nenhuma garantia de que Ray não quebraria os votos de casamento novamente. Tinha medo de ser ferida outra vez, porém sabia que Deus queria realmente que eu continuasse tentando.

Fiquei com minha mãe até quinta-feira. Então, voltei para casa e, depois do trabalho, Ray apareceu para conversarmos. Na verdade, ele falou muito pouco, e depois ouviu em silêncio enquanto despejava toda a minha dor e frustração em cima dele. Ray estava humilhado. Ficou ali sentado, ouvindo tudo e pedindo desculpas. Num certo momento, disse que não sabia mais o que poderia fazer, exceto pedir desculpas. Ele não podia desfazer o que tinha feito, mas queria tentar acertar as coisas novamente.

No meu coração e na minha mente, travava-se uma batalha. Queria muito que ele sofresse tanto quanto eu havia sofrido, porém, ao mesmo tempo, queria que Deus fizesse a sua vontade na nossa vida. Passei quase a noite inteira sentada em cima do muro entre o perdão e a retaliação. Todavia, a intimidade entre mim e o

Senhor tinha se aprofundado tanto nos meses anteriores, que simplesmente não podia dar-lhe as costas agora. Tinha de dar mais uma chance a Ray. Tinha de perdoá-lo, não porque quisesse, mas porque *Deus* queria. Tinha de honrar a Deus no meu casamento.

Muitos meses se passaram até que voltasse a confiar em Ray como antes. Na verdade, o período mais difícil estava somente começando. Depois que tudo veio à tona, Ray perdeu o emprego por se relacionar sexualmente com uma colega de trabalho. Após isso, o esposo dela começou a segui-lo até em casa, depois do expediente. Toda noite, ele cortava dois pneus do nosso carro. Acho que foi pela graça de Deus que nunca cortou três; e sempre tínhamos dois estepes. Nunca coloquei tantos pneus usados num carro, em toda a minha vida!

Comecei a temer pela nossa segurança, pois sabia que o homem andava armado. Muitas vezes, Ray tinha de dirigir até a delegacia policial para se livrar de seu perseguidor. Não deixava mais os meninos brincarem lá fora porque tinha medo de que ele atirasse numa das crianças para fazer Ray sofrer. Essa situação manteve a ferida aberta e exposta por muito tempo.

Ao mesmo tempo, Ray e eu começamos a orar juntos pela primeira vez e a participar de um aconselhamento de casais, a fim de tentar resolver nossos problemas. Além disso, começamos a nos encontrar toda semana. Terça-feira era a nossa "noite de namorar". Assumimos um compromisso um com o outro de não deixar nada interferir nesse encontro. Ray disse a seu chefe que não podia trabalhar nas noites de terça-feira de jeito nenhum, e explicou o motivo. O chefe dele gostou de sua sinceridade e nunca lhe pediu para trabalhar terça à noite.

No entanto, nossos problemas ainda não tinham acabado. Ainda precisava aprender a confiar em Ray novamente. Embora tivesse decidido perdoá-lo, tive de ficar me lembrando disso o tempo todo, durante meses. A confiança não se restabelece apenas porque perdoamos alguém. Assim como o perdão é uma questão de escolha, a confiança também é. Tive muitas oportunidades de desconfiar que Ray estava me traindo de novo, mas toda vez que a dúvida surgia, preferia acreditar que não. Muitas vezes, pedi a Deus que me ajudasse a não ficar supondo que Ray estava com outra mulher, quando se atrasava um pouco.

Também aprendi que, quando demonstrava confiança em meu marido, ele se tornava mais confiável. Se ficava aborrecida por ele chegar atrasado e começava a perguntar, em tom sarcástico, com quem estava, meu esposo também perdia a esperança de que as coisas pudessem se acertar entre nós. Ele percebeu que tinha de reconquistar minha confiança, mas eu também tinha de mostrar que estava disposta a tentar de novo. Ray sabia que havia errado e me machucado profundamente, porém agora queria ser um marido segundo os padrões corretos. Seria muito frustrante e doloroso para ele se eu ficasse relembrando suas infidelidades.

Um bom casamento não acontece por acaso. É preciso esforço e compromisso. O casal precisa decidir ficar junto e se empenhar para isso, não importa quão duro seja os golpes que a vida lhe reserve. Aprendi que o adultério é uma das piores coisas que um casal pode enfrentar. Contudo, aos olhos de Deus, este é um pecado como outro qualquer. O Senhor classifica todas as transgressões na mesma categoria: pecado. E Jesus morreu para que nossos pecados pudessem ser perdoados. Ray me feriu muito com suas infidelidades, mas foi através de seus atos que pude descobrir que estava sendo infiel a Jesus. Sempre que desobedecemos à vontade de Deus, estamos sendo infiéis. Sempre que colocamos alguém ou alguma atividade acima de Deus, ou de nosso relacionamento com Ele, estamos sendo infiéis. Jesus se entristece quando sou infiel, da mesma maneira que me entristecia com a infidelidade de Ray. Quem sou eu para dizer que não perdôo os erros de Ray, quando espero que Jesus perdoe os meus?

Muitas mulheres podem pensar que seria melhor ficar livre de homens como Ray. Afinal de contas, a Bíblia permite o divórcio, em caso de fornicação ou adultério. No entanto, será que teria uma vida realmente melhor? Posso afirmar que, muitas vezes, olhava para outros irmãos na igreja e pensava: *Aposto que ele nunca faria o que Ray fez. Gostaria de ter um marido assim.* Todavia, descobri que um dos homens que acreditava que nunca olharia para outra mulher queria que nossa igreja defendesse a doutrina de que se pode cometer adultério e permanecer fiel a Deus. E eu pensando que ele não era o tipo de pessoa que teria problemas nessa área. Mas a verdade é que ninguém está imune à tentação. Não descarte seu marido na ilusão de que vai encontrar outro que não cometa erros.

Realmente, Deus é capaz de fazer com que a situação difícil que estamos atravessando redunde em bênçãos para a nossa vida. Talvez não tenha uma visão; talvez Ele não fale com você como falou comigo. Entretanto, o Senhor estará ao seu lado e, quando as coisas ficarem difíceis, carregará você no colo. Deus não a deixará sozinha. O Todo-Poderoso fará com que se aproxime cada vez mais dEle, todavia cabe a você fazer o que Ele está pedindo. O Pai amoroso quer escondê-la sob suas asas e lhe dar forças para enfrentar a dor, mas você não pode cair em depressão e ficar sentindo pena de si mesma, se Deus não tornar tudo perfeito da noite para o dia. A vida é uma jornada que nos faz crescer e amadurecer. Percorrer a estrada do perdão é algo que nos deixa mais fortes e aumenta nossa estatura moral; porém precisamos permitir que isso aconteça.

O perdão e a confiança são uma questão de escolha. Ninguém pode merecer o perdão; ele tem de ser dado gratuitamente. Continue orando até ser capaz de perdoar de verdade. Tome a decisão de confiar. Quando sentir que a amargura e a raiva estão explodindo, ore. Entregue esses sentimentos ao Senhor e peça-lhe que a ajude. Ele lhe dará a capacidade de perdoar e confiar novamente.

Põe-me como selo sobre o teu coração, como selo sobre o teu braço, porque o amor é forte como a morte, e duro como a sepultura o ciúme; as suas brasas são brasas de fogo, labaredas do Senhor. As muitas águas não poderiam apagar esse amor nem os rios afogá-lo; ainda que alguém desse toda a fazenda de sua casa por este amor, certamente a desprezariam.

Cantares 8.6,7

Aplicando a Teoria

Os Fatos sobre o Casamento

Se você está pensando em deixar seu marido, lembre-se de que mesmo um casamento com outro homem também pode desmoronar. Quando uma mulher se divorcia de um homem e se casa de novo, é como se ela rasgasse sua alma ao meio e depois tentasse colá-la à alma do novo esposo. As feridas levam anos para cicatrizar e a probabilidade de um divórcio no segundo casamento é muito maior que no primeiro. Estamos nos enganando quando achamos que vamos encontrar o "Sr. Perfeito" e juntar nossa família com a dele, formando uma grande família unida e feliz, sem muito esforço. Isso raramente acontece no mundo real. Meu conselho é que você lance mão de todos os recursos dados por Deus para salvar seu casamento. *Nunca* permita que o egoísmo e o pecado tomem conta da situação, mas *viva* Cristo com cada fibra do seu ser!

Os Fatos sobre os Filhos

Se você tem filhos e acha que um divórcio não irá afetá-los muito, por favor, pense melhor. Meus pais se divorciaram, e falo por experiência própria. O divórcio é um aborto emocional que abalará seus filhos de forma muito intensa. Embora não ache que uma mulher deva suportar uma situação de abuso ou compactuar com o pecado, penso que medidas judiciais como o pedido de separação de corpos e o de afastamento temporário do lar são grandes alternativas para o divórcio, nos piores casos. E, se o processo de divórcio for aberto, busque a face de Deus intensamente para ter certeza de que você está seguindo a orientação do Senhor.

Os Fatos sobre a Vida Real

No mundo real, os homens também se divorciam de suas esposas. Além disso, existem pessoas que se divorciam e *depois* têm um encontro com o Senhor. Também há muitas situações terríveis em que o divórcio pode ser necessário para garantir a segurança da mulher e dos filhos do casal. Se você já está divorciada, tenha coragem. Se for possível uma reconciliação, peça ao Senhor para ajudá-la a obedecer à sua vontade. Mas se já está no segundo ou terceiro casamento, creia que, embora não seja possível voltar ao primeiro matrimônio, Deus pode lhe dar graça para curar as feridas do passado e trazer integridade a seu atual casamento.

Não acredito que o divórcio seja da vontade de Deus, porém creio que Ele nos acolhe na situação em que estamos e nos faz seguir adiante. O Senhor nos perdoa, esquece as nossas transgressões e nos sustenta com seu amor extraordinário.

Pontos Importantes na Oração pelo Romance

Se o seu casamento está morrendo, os pontos de oração apresentados abaixo irão ajudá-la a permitir que Deus renove o amor em seu coração e no de seu marido.

- Se você sente que não ama mais seu marido, peça a Deus que reacenda a chama que ardia em seu coração em outros tempos.

- Se você acha que seu casamento não tem mais jeito, peça a Deus que lhe dê uma nova perspectiva em relação a ele e a ajude a ver o que pode vir a ser no futuro.

- Peça a Deus que lhe dê forças para fazer tudo o que estiver ao seu alcance a fim de ressuscitar o plano que Ele determinou desde o princípio para o seu matrimônio.

- Se está tendo dificuldade para perdoar, peça a Deus para falar com você durante a leitura do próximo capítulo.

Idéias Românticas

ERICA MEIERS

Quão suaves são sobre os montes os pés do que anuncia as boas-novas, que faz ouvir a paz, que anuncia o bem, que faz ouvir a salvação, que diz a Sião: O teu Deus reina!

ISAÍAS 52.7

O que Fiz
Numa noite em que meu marido estava fazendo serão, desenhei o formato dos meus pés e recortei 40 pegadas de papel. Na primeira, escrevi "Siga as Pegadas", e prendi na maçaneta da porta de entrada (é claro que esperei até os meninos dormirem). Depois, arrumei outras pegadas no chão como se estivessem andan-

do até a sala, em direção à poltrona favorita de Ray. Na pegada que ficava bem na frente da poltrona, escrevi: "Sente-se, relaxe e beba uma Pepsi gelada". Podia ter escrito qualquer outra coisa, mas como o refrigerante favorito de Ray é a Pepsi, sabia que era isso que ele iria querer depois de um longo dia de trabalho. Enquanto meu amado relaxava, fiz massagem nas suas costas e, depois, sentei-me ao seu lado e perguntei como tinha sido seu dia. Quando ele terminou o refrigerante, sugeri que seguisse as pegadas para ver aonde iam dar. Elas entravam pelo corredor e iam direto para o banheiro. Bem na frente da banheira, estava uma pegada onde eu tinha escrito: "Tome um banho quente e revigorante". Enquanto ele estava no chuveiro, apanhei todas as pegadas e as distribuí desde a porta do banheiro até a entrada do nosso quarto. Na última pegada, presa na maçaneta da porta, escrevi uma mensagem especial, convidando-o a entrar. Então, entrei no quarto, fechei a porta, acendi as velas, vesti algo bem atraente e me deitei, esperando que ele terminasse o banho. O resto é história!

O Motivo

Estávamos saindo de um período muito ruim no nosso casamento, em que tudo quase acabou em divórcio, e eu estava decidida a recuperar aquele clima de romance que há muito tempo tinha deixado de existir entre nós.

Como me Senti

Na verdade, estava um pouco nervosa e inquieta. Embora estivesse animada, tinha medo de que Ray pensasse que aquilo tudo era uma bobagem e não cooperasse com meus planos. Fazia muito pouco tempo que estávamos juntos novamente, e não queria que ele me achasse infantil.

Obstáculos que Tive de Vencer

Tive de pôr os meninos na cama bem cedo, para que eles estivessem dormindo quando Ray chegasse e eu tivesse tempo de preparar as pegadas. Também tive de vencer a barreira do meu próprio nervosismo; porém, estava resolvida a não permitir que isso me impedisse de fazer algo que considerava ser bom para nós. Antigamente, não era espontânea em matéria de sexualidade; mas, durante aquela fase de reaproximação, descobri que Ray gostaria que eu tomasse a iniciativa, às vezes.

A Reação dele

Ray reagiu exatamente como eu queria. Depois de passar pela porta de entrada, não hesitou em seguir a trilha que havia traçado para ele. Quando tirei seus sapatos e comecei a massagear suas costas e pés, fui recompensada com suspiros de pura satisfação. Durante todo o tempo, ele tinha uma pergunta silenciosa nos olhos, que me recusei a responder. Ele bebeu sua Pepsi um pouco mais depressa que o normal, para ver o que viria depois; e o banho de chuveiro também foi mais curto que o normal. No entanto, foram as únicas coisas que ele fez com pressa naquela noite!

O que Gostaria de Ter Feito

Aquela noite foi tão perfeita que gostaria de ter feito algo assim há muito tempo. Daquele dia em diante, decidi ser mais espontânea e não esperar sempre que ele tomasse a iniciativa. Acredito que os homens gostam tanto de romance quanto as mulheres!

Cortando Gastos

Por causa da pressa, fiz as pegadas com folhas dos cadernos dos meninos. Como consegui colocar dois pés por página, usei apenas umas 20 folhas.

8
A Estrada do Perdão

Não vos lembreis das coisas passadas, nem considereis as antigas. Eis que farei uma coisa nova, e, agora, sairá à luz; porventura, não a sabereis? Eis que porei um caminho no deserto e rios, no ermo.

Isaías 43.18,19

No capítulo 2, mencionei que lá em casa havia dois periquitos que meu marido vivia ameaçando fritar. Bem, as aves sobreviveram, mas a família concordou que papai arranjaria uma bela casa para eles morarem, com um de seus colegas de trabalho. Sinceramente, todos ficaram aliviados.

Enquanto os periquitos ainda estavam conosco, às vezes abríamos a gaiola e os deixávamos soltos por um tempo. Na primeira vez que tive a idéia de soltá-los, tirei a tampa que cobria o viveiro e fiquei esperando que saíssem. Mas, em vez de saltarem para a liberdade, "Azul" e "Amarelo" ficaram encolhidos no fundo do viveiro, sem saber o que fazer. (Foram as crianças que deram esses nomes aos pássaros. Vou deixar que você adivinhe de que cores eles eram.) Os dois ficaram lá, duros de medo. Eles tinham nascido numa gaiola e viveram presos a vida inteira. O conceito de liberdade os deixava apavorados. Depois de um tempo, conseguiram reunir coragem suficiente para voarem até a parte de cima do viveiro, balançar no limiar da liberdade e, então, arriscar um vôo pela sala.

Na segunda vez, resolvi abrir a porta da gaiola para ver o que aconteceria. Quando tirei a tampa do viveiro, a liberdade se escancarou diante deles, larga e convidativa; mas passar pela estreita portinhola foi bem mais difícil. Azul até que não demorou muito para sair da gaiola, todavia Amarelo ficou lá dentro. Depois de algum tempo, Azul percebeu que Amarelo não tinha saído. Rapidamente, voou de volta para a gaiola e ficou agarrado do lado de fora, com a cabeça enfiada na abertura da porta, chamando o outro. Ele gorjeou, piou e animou o outro a abraçar a liberdade. Contudo, Amarelo continuou agarrado no fundo da gaiola, recusando-se a aproveitar a chance de sair da prisão onde passara a maior parte de sua vida.

Há muitas pessoas que estão presas numa gaiola — atrás das grades da falta de perdão. Algumas delas estão há tanto tempo assim, que, quando Deus lhes oferece a chave da liberdade, elas ficam apavoradas. A prisão se torna um estilo de vida — uma zona confortável. Com o tempo, essas pessoas não conseguem mais perceber que a amargura escondida no seu coração contraria a perfeita vontade de Deus para a vida e o casamento de seus filhos.

Enquanto estiver lendo este capítulo, imagine que sou o periquito azul esvoaçando do lado de fora da gaiola da falta de perdão. Lá dentro, está um periquito amarelo com medo de sair do cativeiro e se lançar na imensidão da graça de Deus. Será que, por acaso, você não é o periquito amarelo?

É preciso perdoar nosso companheiro pelos **Conflitos** do passado (veja o capítulo 7). Eu já fiz isso. E você? Será que já o perdoou de verdade? Ou talvez tenha sido você quem errou, e precisa do perdão de seu marido. Todavia, antes disso, você já pediu a Cristo que a perdoe? E já perdoou a si mesma?

Enquanto examina o seu coração buscando a resposta a essas perguntas, lembre-se de que podemos pensar no perdão como se fosse a ponte entre os casamentos mundano e "celestial". Quando saímos do atoleiro do ressentimento e cruzamos a ponte do perdão, isso traz cura aos nossos relacionamentos e abre caminho para o extraordinário amor de Deus e seu poder de transformar vidas. Não fique presa na lama do ressentimento a vida inteira, enquanto há um mundo de bênçãos à sua espera. Nessa situação, é provável que seu casamento esteja tumultuado. No entanto, o casal que percorre a estrada do perdão chega a uma nova terra; uma terra que reluz como um diamante, refletindo a luz do amor de Deus. Uma terra onde reina a liberdade e o matrimônio é um prazer.

Embora todas desejemos ter um casamento feliz, muitas mulheres são como o periquito amarelo. Elas estão no alto de uma colina, diante de uma terra de felicidade, mas não conseguem tirar os olhos do pântano lá embaixo. Este se refere às profundezas escuras de seu relacionamento que você precisa enfrentar para resolver os problemas. É mais fácil se agarrar com o medo e permanecer na borda do pântano. Atacar os problemas requer coragem. Infelizmente, algumas pessoas morrem sem jamais perceberem que Deus queria fazer um milagre em seu casamento: um homem e uma mulher, criados à imagem de Deus, uma só carne no Senhor, mergulhados nas águas claras de um lago de amor.

Você deseja muito ter um casamento celestial? Está disposta a dar o melhor de si para que isso aconteça? Então, há uma série de características que mostram que você está no caminho certo para chegar à cura de seus sentimentos e perdoar seu marido e outras pessoas que a tenham magoado. Se existe alguma área em seu matrimônio, ou em sua vida, onde essas características não estão se manifestando, talvez você esteja vivendo acorrentada ao passado.

Você reconhece que não perdoou alguém. Uma pessoa que sente prazer em alimentar pensamentos de vingança, ainda não reconheceu a necessidade de perdoar. Entretanto, se ela é tentada a se vingar, mas luta com isso porque sabe que a retaliação não vem de Deus, isto é sinal de que reconheceu a necessidade de perdoar.

Já experimentei o perdão num nível muito profundo. É maravilhoso. É permanente. É de Deus. Não subestime o poder que o Senhor tem de lhe dar forças para perdoar. Ele está esperando que você dê um passo de fé e entregue toda a tentação em suas mãos. Este é o primeiro para que a servidão seja quebrada e possa experimentar a verdadeira liberdade.

Você consegue falar sobre assuntos que antes era extremamente dolorosos. Este é um bom sinal de que você está exercendo o perdão que leva à cura. Percebi que Deus estava me capacitando a perdoar de uma forma mais completa, e intensificando a cura das mágoas deixadas pelo abuso sexual que sofri, quando consegui falar sobre meu sofrimento com um grupo de mulheres num abrigo para vítimas de violência doméstica. Dois anos antes, não teria conseguido falar aquelas palavras. Mas Deus me curou de tal maneira, que Ele agora podia usar minha dor para ajudar outras mulheres a superarem o trauma da violência. Um sinal importante de que o verdadeiro perdão e a cura estão começando a se manifestar num casamento é quando o casal pára de evitar certos assuntos. Todos eles são discutidos, resolvidos e sepultados.

Você não sente necessidade de se isolar emocionalmente de sua família e amigos. A prisão da falta de perdão sempre gera isolamento. Lembre-se: Amarelo ficou na gaiola o dia inteiro, enquanto Azul aproveitava a liberdade de poder voar. Pessoas que não estão experimentando o perdão e a cura de Deus não querem ter intimidade emocional com ninguém, inclusive com Deus, e principalmente com aquela pessoa que não conseguem perdoar. Se a parte não perdoada é o cônjuge, então o relacionamento do casal se torna superficial e o sexo se transforma num ato puramente físico, sem nenhum vínculo afetivo.

Você obedeceu à ordem de Jesus para "tomar seu leito" e "levantar-se". Em Mateus 9.1-8, Jesus cura um paralítico e diz: "Levanta-te, toma o teu leito e vai para tua casa" (v. 6). Durante nosso processo de cura, chega um ponto em que temos de parar de nos revolver na lama do passado, deixando que ela nos paralise e aprisione espiritual e emocionalmente. Podemos passar a vida inteira numa gaiola revivendo a dor e guardando ressentimentos, porém, com o tempo, teremos erguido uma barreira que impede todo crescimento emocional e espiritual. Embora o processo de cura seja algo demorado, chega um momento em que temos de deixar o passado para trás e permitir que Deus exerça sua poderosa influência no nosso casamento.

Não estou minimizando a devastação que pode ter atingido sua vida no passado, nem o sofrimento que está enfrentando em seu casamento. Esta não é uma versão daquela frase insensível: "Você tem de superar isso!" Mas também não vou incentivar a falta de perdão. Quando Jesus disse àquele homem para tomar o seu leito e andar, não o colocou em pé nem pegou sua cama. Ele disse ao paralítico para agir. Da mesma forma, Cristo está lhe dizendo para fazer algo: entrar na liberdade que Ele oferece.

Você reescreveu sua história. Você não define mais seu casamento em termos do que aconteceu no passado, porém vê o presente e o futuro que Cristo lhe dará. E isso não se aplica apenas aos conflitos conjugais. Você não se define mais em função das violências que sofreu no passado, mas sim pelo fato de que Jesus Cristo morreu para salvá-la, e você é uma filha preciosa para Ele.

Leia o parágrafo seguinte em voz alta. Enquanto estiver passando pelo processo do perdão, leia-o várias vezes por dia. Faça dele o seu lema espiritual. Escreva-o num pedaço de papel e cole no espelho do banheiro, ou em qualquer outro lugar bem visível.

> Deus Pai me ama tanto que saiu de seu trono eterno e veio a este mundo para expressar seu amor através de seu Filho, que morreu em meu lugar e tirou o meu pecado. Deus não fez isso para que eu agora fique coxeando como uma pessoa espiritualmente derrotada ou acorrentada, definindo a mim mesma e ao meu casamento em termos de algo que aconteceu no passado, ou preocupada com o que os outros possam pensar de mim. Com a ajuda de Cristo, não vou viver em derrota espiritual. Não vou deixar Satanás plantar uma base de apoio na minha vida. Não vou ficar me debatendo numa gaiola, com medo de passar pela porta do perdão. Vou aceitar a liberdade espiritual que Cristo me oferece.

Quando estava em Londres, fui visitar os sem-teto numa localidade onde nossas irmãs tinham montado um ponto de distribuição de sopa para os pobres. Um homem que vivia numa caixa de papelão segurou minha mão e disse: "Há muito tempo não sentia o calor da mão de uma pessoa".[1]

Há quanto tempo seu marido não sente o calor da sua mão? Não uma carícia forçada ou um aperto sem qualquer significado, mas o verdadeiro calor de sua mão, o calor de seu amor incondicional? Procure seu marido. Segure sua mão — segure sua mão de verdade. Não deixe o passado destruir o presente e o futuro de vocês.

Os Passos Necessários para o Perdão

Na história que contei sobre os periquitos e a questão do perdão, será que você conseguiu identificar alguma área do seu casamento que precisa de altas doses do perdão de Deus? A maioria das pessoas tem problemas com esse assunto, tanto no casamento quanto na vida, de um modo geral. Não demora muito para percebermos que as pessoas — inclusive nossos cônjuges — nos desapontarão. Não existe nenhum relacionamento que não precise de perdão; contudo, muitas vezes, as pessoas não perdoam, porque existe uma distância muito grande entre reconhecer que precisamos fazer algo e saber como fazê-lo. Se você está tendo dificuldades para perdoar alguém, os passos apresentados a seguir vão ajudá-la a alcançar a paz que irá revolucionar seu casamento. Se seu marido está tendo problemas para perdoá-la, partilhe com ele essas instruções.

Talvez o problema que a incomoda não tenha tanto a ver com você e seu marido, mas sim com algum abuso sofrido no passado. Se for este o caso, a "estrada do perdão" será o início de sua jornada em direção à cura. Anime-se! Eu mesma fui vítima de abuso sexual, e hoje sou uma prova viva de que Jesus pode curar as feridas da alma — Ele pode fazer e faz.[2] Tendo o Espírito Santo como guia, você pode vencer a mágoa que o passado lhe deixou. Além disso, você e seu marido podem ter uma vida sexual que seja não somente boa, mas também extraordinária!

A Estrada do Perdão
Passo 1: Peça a Deus que lhe dê a capacidade de perdoar.

> Perdoa-nos as nossas dívidas, assim como nós perdoamos aos nossos devedores. [...] Porque, se perdoardes aos homens as suas ofensas, também vosso Pai celestial vos perdoará a vós. Se, porém, não perdoardes aos homens as suas ofensas, também vosso Pai vos não perdoará as vossas ofensas (Mt 6.12,14,15).

Não adianta nada fazer uma oração sem a mínima convicção, dizendo: "Senhor, por favor, me ajuda a perdoar; mas primeiro deixa-me arrancar o coração dele". Embora a honestidade com Deus seja muito importante, é necessário que exista um desejo de fazer o que é certo. Quando o Senhor está em primeiro lugar na nossa vida, nosso objetivo principal é agradar-lhe. Sendo assim, deixamos de lado a nossa própria vontade e fazemos o que ordena a sua Palavra. Conseguimos perdoar porque compreendemos que Deus é amor e que "todas as coisas contribuem juntamente para o bem daqueles que amam a Deus" (Rm 8.28).

Partindo para a Ação
Os exemplos de oração abaixo irão ajudá-la a superar esse desafio:
1. Se você, de fato, não consegue ter o desejo de perdoar, comece por aqui: "Senhor, realmente sinto vontade de fazer algo horrível com essa pessoa, de modo que preciso que me ajude a perdoá-la". Não use esta oração como uma desculpa para não perdoar. Se você for sincera, Deus será fiel e atenderá ao seu pedido.
2. Seja honesta: "Meu Deus, o Senhor sabe que sinto uma vontade imensa de me vingar, mas meu desejo de agradar-lhe é maior. Ajuda-me!"
3. "Meu Deus, ajuda-me a não esquecer que o Senhor morreu por esta pessoa, assim como morreu por mim. Peço que me encha com este amor profundo que nos permite conceder a graça do perdão."

Passo 2: Peça ao Senhor que lhe mostre a realidade.

Então, falou o rei Assuero e disse à rainha Ester: Quem é esse? E onde está esse cujo coração o instigou a fazer assim? E disse Ester: O homem, o opressor e o inimigo é este mau Hamã. Então, Hamã se perturbou perante o rei e a rainha. E o rei, no seu furor, se levantou do banquete do vinho para o jardim do palácio; e Hamã se pôs em pé, para rogar à rainha Ester pela sua vida; porque viu que já o mal lhe era determinado pelo rei (Et 7.5-7).

Não erreis: Deus não se deixa escarnecer; porque tudo o que o homem semear, isso também ceifará.
Porque o que semeia na sua carne da carne ceifará a corrupção; mas o que semeia no Espírito do Espírito ceifará a vida eterna (Gl 6.7,8).

Sonda-me, ó Deus, e conhece o meu coração; prova-me e conhece os meus pensamentos. E vê se há em mim algum caminho mau e guia-me pelo caminho eterno (Sl 139.23,24).

A história da conspiração de Hamã contra os judeus mostra um excelente exemplo de um homem cujo coração estava cheio do pecado do orgulho. Entretanto, a rainha Ester "virou a mesa" e revelou o pecado que ele escondia. A reação de Hamã mostra exatamente como todo agressor termina: prisioneiro do desespero, por causa do pecado. É importante lembrar que todo pecado gera tormento e desespero. Ou Deus faz o criminoso se sentir miserável por causa da culpa, ou, se sua consciência já está cauterizada e ele não se arrepende, o castigo após a morte é certo.

Para manter um espírito rancoroso, precisamos acreditar que estamos acima do pecado — quando, na verdade, não estamos. Geralmente, isso se revela quando a pessoa diz algo como: "Eu nunca faria..." A implicação dessa frase é que a pessoa se sente acima do pecado, ou, pelo menos, daquele tipo de pecado. De fato, todos precisamos pedir a Deus que nos mostre se há em nós algum caminho mau. Para seguir a Cristo, necessitamos primeiro chegar ao ponto de pedir que Ele nos perdoe. Quando conseguimos nos imaginar aos pés da cruz, segurando um martelo, com o sangue de Jesus "espirrando" em nós, percebemos que não temos direito algum de guardar ressentimentos contra quem quer que seja: "Porque todos pecaram e destituídos estão da glória de Deus" (Rm 3.23). Isto inclui você e eu. Para mantermos um espírito rancoroso, precisamos estar cegos para o fato de que somos tão carentes de perdão quanto a pessoa que nos magoou. Quando temos a pretensão de achar que não precisamos de perdão, tornamo-nos pessoas egoístas, não procurando mais a nossa justificação em Cristo.

Partindo para a Ação

1. Peça ao Senhor que a ajude a ver a pessoa que você precisa perdoar da mesma maneira que Ele a vê: uma alma desesperada que necessita do amor de Deus.

2. Muitas pessoas que fazem mal às outras foram profundamente maltratadas no passado. Peça a Deus que lhe mostre esses corações feridos e a ajude a ter compaixão deles.

3. Peça a Deus que lhe mostre em que condições você estaria sem Ele, para que possa compreender o quanto necessita do perdão divino.

4. Ore para que o Senhor lhe mostre quais os pecados que cometeu contra outras pessoas e seu cônjuge.

5. Saiba que o desejo de não implementar os passos sugeridos aqui é normal. Os seres humanos raramente se alegram de ver a luz divina penetrando nas fendas escuras de sua alma. Mas o verdadeiro perdão só ocorre depois que descobrimos o quanto somos desesperadamente necessitados do perdão e da graça salvadora de Jesus.

Passo 3: No que depender de você, procure expor sua mágoa, de maneira calma e sincera, à pessoa que lhe fez mal.

Antes, seguindo a verdade em caridade, cresçamos em tudo naquele que é a cabeça, Cristo, do qual todo o corpo, bem ajustado e ligado pelo auxílio de todas as juntas, segundo a justa operação de cada parte, faz o aumento do corpo, para sua edificação em amor (Ef 4.15,16).

Honestidade e sinceridade são atitudes essenciais no casamento. Se elas não existirem, é sinal de que cada cônjuge ergueu um muro à sua volta e, assim, o casal nunca chega a alcançar a intimidade que Deus planejou. Sem tais virtudes, os problemas se acumulam, o ressentimento envenena o espírito e o relacionamento vai se desgastando.

Quando ocorrem abusos no matrimônio, não há muita escolha, exceto ser honesta e expressar seu sofrimento. Não se consegue ter paz num casamento, ignorando os problemas importantes. Conheço alguns casais que morreram sem jamais terem discutido "o caso", ou um outro problema do passado, de modo que jamais superaram o estremecimento que aquilo causou entre eles. Não se pode ter um casamento celestial enquanto pairar a sombra de um passado não resolvido.

Partindo para a Ação

Tocar em assuntos delicados requer muita coragem, e as sugestões a seguir devem ajudá-la. Lembre-se: aborde um assunto de cada vez, sob a orientação do Senhor, a menos que haja duas ou mais questões inter-relacionadas.

1. Marque um encontro para conversar sobre o assunto. Se não houver perigo de uma agressão física ou emocional, procure um lugar onde vocês possam ter privacidade e tempo suficiente. Se preferir uma discussão não planejada, escolha o local e a hora com sabedoria.

2. Não acuse nem use palavras ásperas e insultos; não se esquive da discussão. Seja firme e educada.

3. Se for apropriado, peça a seu marido para orar em voz alta, pedindo a Deus que a ajude a perdoá-lo.

4. Não pense que vai conseguir conter as lágrimas. Elas são inevitáveis.

5. Depois que o assunto tiver sido discutido, não fique novamente trazendo-o à tona. Em vez disso, exercite o princípio ensinado no Passo 4.

6. Compreenda que podem ser necessários vários anos para tratar duas ou três décadas de conflitos não resolvidos.

7. Não faça sermão nem emita julgamento sobre a condição espiritual de seu cônjuge. Atenha-se ao problema que está sendo discutido.

8. Se seu cônjuge não demonstrar arrependimento, assuma o compromisso de orar por ele e pelo problema. Embora o fato de a pessoa nos pedir perdão possa acelerar o processo e, com certeza, facilitar a reconciliação, o verdadeiro perdão não depende do arrependimento do outro. Ele é proveniente da graça, da misericórdia e do poder de Deus. O Senhor nos capacita a alcançar esta profun-

didade de perdão sobrenatural mesmo diante do desprezo de nosso agressor.

Comentário Pessoal
Não tenho uma opinião definida sobre a necessidade de confrontar as pessoas que praticam abusos sexuais. Embora saiba que muitos profissionais encorajam isso, acredito que é melhor não confrontar quando o agressor, ou agressora, é uma pessoa com quem você tem pouca ou nenhuma possibilidade de se encontrar. Entretanto, se esta pessoa é alguém que você vê freqüentemente, como um membro da família, talvez seja melhor confrontá-lo. Mas tenha muito cuidado e sabedoria. Não se encontre com ela secretamente ou sozinha. Algumas mulheres foram violentadas de novo durante uma confrontação. Nunca procurei a pessoa que me violentou para falar sobre o assunto — e não tenho nenhuma vontade ou necessidade de fazê-lo. Jesus já me deu a liberdade e a perfeita paz.

Passo 4: Disponha-se a perdoar mentalmente o que aconteceu quantas vezes for necessário.

> Então, Pedro, aproximando-se dele, disse: Senhor, até quantas vezes pecará meu irmão contra mim, e eu lhe perdoarei? Até sete? Jesus lhe disse: Não te digo que até sete, mas até setenta vezes sete (Mt 18.21,22).

A interpretação tradicional dessa passagem é que, se alguém pecar contra nós 490 vezes, devemos perdoá-la todas essas vezes. No entanto, deixe-me apresentar uma outra visão. Pense nessa passagem da seguinte maneira: se alguém peca contra nós, a lembrança desse fato voltará à nossa memória várias vezes — talvez umas 490 vezes — mesmo depois que tomarmos a decisão de perdoar. Você lembra-se de que Érica confessou que, depois de tomar a decisão de perdoar seu marido, teve de continuar perdoando-o diariamente, durante um bom tempo (veja o capítulo 7)?

Partindo para a ação

Toda vez que se lembrar do mal que lhe fizeram, você deve levar "cativo todo entendimento à obediência de Cristo" (2 Co 10.5).

1. Diga a si mesma, com toda a firmeza, que já perdoou aquela pessoa e que toda a situação agora está debaixo do sangue de Cristo. Se você ficar remoendo aquele pecado, poderá ser tentada a cair novamente no ressentimento.

2. Se for possível, alimente bons pensamentos a respeito da outra pessoa. Por exemplo, Érica poderia pensar: "Meu marido é mesmo muito atraente" ou "Ele sempre foi um ótimo pai".

3. Acostume-se a reagir com amor e não com ira. Quando a irritação começar, volte ao Passo 1. Entregue sua raiva ao Senhor e peça-lhe que a substitua por amor e alegria. Segundo Les Parrot, "muitos resultados de pesquisas demonstram que as técnicas de psicologia que ensinam a necessidade de 'botar para fora' só servem para diminuir autocontrole e encorajar formas de comportamento mais agressivas e acessos de raiva mais freqüentes. Se extravasarmos nossos impulsos, teremos mais dificuldade de controlá-los da próxima vez. 'Botar para fora' uma emoção não faz com que ela desapareça, e sim com que retorne com freqüência cada vez maior. Os sentimentos são como os músculos: quando os exercitamos, eles ficam cada vez mais fortes".[3]

Passo 5: Peça ao Senhor que lhe dê um espírito perdoador.

E, quando chegaram ao lugar chamado a Caveira, ali o crucificaram e aos malfeitores, um, à direita, e outro, à esquerda. E dizia Jesus: Pai, perdoa-lhes, porque não sabem o que fazem... (Lc 23.33,34)

Se Cristo vive em nós, temos de ter um espírito perdoador, que diz que não há nada que uma pessoa faça que eu não possa perdoar. Esse tipo de atitude vem de Deus e é a evidência de que temos a mente de Cristo (veja 1 Co 2.16). Jesus exemplificou tal comportamento quando morreu na cruz. Ele não só perdoou nossos pecados passados e presentes, como também todos os que viessem a ser cometidos, desde que haja arrependimento.

O perdão revoluciona o casamento porque gera segurança. Meu marido e eu sabemos que não há nada que façamos que o outro não possa perdoar. Nenhum de nós tem de andar "pisando em ovos". Não vou fingir que, se meu esposo tivesse um caso com outra mulher, eu não iria passar por lutas. Claro que iria. A dor seria muito grande e a cura não viria da noite para o dia. No entanto, assumi um compromisso com Cristo de permitir que seu espírito perdoador prevaleça em minha vida.

Partindo para a Ação

1. Peça a Deus que você consiga não só perdoar os conflitos específicos que a estão deixando amargurada, mas também desenvolver um espírito perdoador que a capacite a perdoar situações futuras.

2. Peça a seu marido que ore, especificamente, para que você consiga desenvolver um espírito perdoador.

3. Peça a Deus o mesmo para seu marido.

4. Orem juntos pedindo que Deus os capacite a perdoar — seja qual for o erro cometido.

5. Compreenda que um espírito de perdão é algo raro, até mesmo dentro da igreja.

Aplicando a Teoria

Tempo

Não espere aplicar todas as sugestões contidas neste capítulo em poucos dias. Pode levar semanas ou até meses para percorrer todos os passos.

Geral

Embora o processo de se apaixonar sexualmente por seu marido possa começar imediatamente, a solução dos problemas de relacionamento pode ser um projeto em longo prazo.

O Cônjuge

Não espere que seu marido entenda tudo o que está acontecendo, o tempo todo. Da mesma maneira, não pense que vai entender seu marido o tempo todo. Esta semana mesmo, olhei meu esposo de forma amorosa e disse:

— Não estou querendo provocar ninguém aqui... Estou realmente interessada em saber... Será que você poderia me explicar por que os homens ficam com o controle remoto na mão, trocando de canal o tempo todo?

Ele respondeu:

— Porque quero ter certeza de que não vou perder alguma coisa importante.

Não tenho certeza se entendi direito. Se a pessoa fica mudando de canal constantemente, isso não vai fazer com que perca alguma coisa?

Tenha paciência com seu marido e consigo mesma, enquanto Deus revoluciona seu casamento, segundo o cronograma que Ele estabeleceu. Saiba também que, quanto maior for o número de horas que você passar na presença do Senhor em oração, mais rapidamente Ele poderá trabalhar em você e no seu casamento.

Pontos Importantes na Oração pelo Romance

Enquanto estiver percorrendo a estrada do perdão...

- Peça a Deus que dê a você e a seu marido coragem para enfrentar as dificuldades.

- Ore para que quaisquer pecados sexuais que estejam atrapalhando seu casamento sejam perdoados e deixados no passado.

⚭ Se você foi vítima de violência sexual, peça a Deus que a cure e derrame o perdão necessário para remover as conseqüências daquele abuso em sua vida, em seu coração e em seu casamento. Peça a Deus que elimine qualquer dor e amargura que teimam em não desaparecer.

⚭ Se você e/ou seu marido tiveram outros parceiros sexuais no passado, peça a Deus que elimine qualquer influência dessas pessoas em seu casamento.

Idéias Românticas

Pomba minha, que andas pelas fendas das penhas, no oculto das ladeiras, mostra-me a tua face, faze-me ouvir a tua voz, porque a tua voz é doce, e a tua face, aprazível.

CANTARES 2.14

O que Fiz

Comprei quatro cartões românticos e os deixei espalhados pela casa, em lugares estratégicos. Assim, meu marido encontraria um após o outro, lembrando-se constantemente do meu amor.

O Motivo

Estava saindo da cidade para dar uma palestra, e queria que meu marido se sentisse apreciado, amado e respeitado durante minha ausência. Quando não estou em casa, Daniel cuida das crianças e das tarefas domésticas. Ele é um homem incrível, e eu queria que soubesse o quanto aprecio seu apoio e seu amor, não só por mim, mas também pelas crianças.

Como me Senti

Satisfeita e muito espertinha. Senti-me revigorada por deixar uma trilha de papel atrás de mim e saber que Daniel ficaria surpreso ao encontrar aquela seqüência de cartões.

Obstáculos que Tive de Vencer
Estava numa tremenda correria, tentando não perder o avião. Brooke, então com quatro anos, estava aos berros, pedindo que a ajudasse a vestir sua roupa de baixo. Quase não tinha mais tempo. Daniel ficava entrando e saindo da casa, tentando levar Brett para a escola. Tinha de ser rápida e discreta para esconder os cartões sem ser descoberta.

A Reação dele
Mais tarde, liguei do aeroporto, e ele disse:
— Ei! Encontrei cartões pela casa inteira!
Eu ri, e ele me perguntou quantos havia. Disse que eram quatro, e ele me falou que tinha encontrado todos os quatro, mas estava achando que encontraria outros. Então, disse-me que eu era uma mulher realmente doce e que ele me amava muito.

O que Gostaria de Ter Feito
Gostaria de ter comprado mais cartões. Quatro foi um bom número, mas acho que seis teria sido melhor.

Cortando Gastos
Não é preciso comprar cartões prontos na papelaria. Usando a criatividade, é possível fazer belos cartões à mão ou no computador, o que sai bem mais barato.

Observação Especial
Uma variação interessante dessa idéia é enviar os cartões pelo correio. Envie um cartão por dia. Se não for viajar, mas quiser surpreendê-lo, envie cartões para o seu local de trabalho.

9
Encontros Românticos

Eis que és gentil e agradável,

ó amado meu; o nosso leito é viçoso.

CANTARES 1.16

Você está pronta para encontros inesquecíveis e românticos? Algumas das idéias apresentadas a seguir são minhas; outras foram sugeridas por amigas. Enquanto estiver lendo essas sugestões, procure adaptá-las ao seu gosto particular e ao seu estilo de vida.

Você não precisa pôr em prática essas sugestões toda semana. Planejo alguma coisa de vez em quando, mas não fixo intervalos rígidos. Às vezes, invento um encontro desses e demoro uns dois meses para planejar outro. No entanto, desde que comecei a investir no namoro com meu marido, a qualidade de nossa intimidade só tem aumentado, independentemente de eu fazer algo especial com muita freqüência ou não.

Quanto mais você planejar, esquematizar e inventar formas de namorar seu marido, mais entusiasmada se sentirá em relação à sua vida sexual. Muitas vezes, eu não tinha a menor disposição para nada, porém sabia que meu marido precisava de mim. Então, ia adiante e planejava. Quando terminava de elaborar meu plano e começava a executá-lo, descobria que estava *cheia* de disposição. Quanto mais você se esforçar para surpreender seu marido, mais excitante será para você. Quanto mais excitante for para você, mais estimulado ele se sentirá. Quanto mais estimulado ele se sentir, divertido será para você. Em pouco tempo, vocês se tornarão verdadeiros amantes — não apenas duas pessoas que vivem sob o mesmo teto —, e todo olhar, toda palavra será carregada de afeto. Seu casamento se tornará o cumprimento de Cantares.

Estou certa de que esta é a vontade perfeita de Deus para *todo* casamento cristão. Ele não criou o sexo para ser uma obrigação que temos de cumprir; Deus o criou para ser um laço que une duas almas na essência da intimidade.

Romance Criativo

1
Carinho Espontâneo 153

2
Marcando Território 155

3
Aventura de Natal 157

4
O Primeiro Encontro 160

5
Romance Programado ... 162

6
A Troca das Maçanetas 164

7
Eu, Ele e a Massagem 166

8
Um Sonho Realizado 168

9
A Garota do Calendário 170

1
Carinho Espontâneo

Tiraste-me o coração, minha irmã, minha esposa; tiraste-me o coração com um dos teus olhos, com um colar do teu pescoço. [...] Favos de mel manam dos teus lábios, minha esposa! Mel e leite estão debaixo da tua língua, e o cheiro das tuas vestes é como o cheiro do Líbano.

CANTARES 4.9,11

O que Fiz

Meu marido estava relaxando no sofá quando apareci na frente dele e comecei a beijar seus pés.

O Motivo

Estava falando ao telefone com uma pessoa que passava por problemas no casamento. Durante a conversa, comecei a sentir grande admiração, respeito e gratidão por meu marido, que sempre colocou as crianças e eu acima de suas próprias aspirações.

Como me Senti

Um pouco surpresa. Não planejei fazer aquilo; só que desliguei o telefone, e quando percebi, estava aos pés dele.

Obstáculos que Tive de Vencer

Havia uma cadeira entre nós, que tive de pular.

A Reação dele

— O que você está fazendo? — ele perguntou.

— Beijando seus pés, porque você sempre colocou as crianças e eu em primeiro lugar. Você não faz idéia do quanto aprecio isso.
— Bem... chega. Não quero que você beije meus pés.
Então, balançou a cabeça e deu um meio sorriso.

O que Gostaria de Ter Feito

Beijado seus pés muito tempo atrás.

Cortando Gastos

Esta é grátis — a menos que lhe custe algo deixar de lado o orgulho. Se for assim, será uma das sugestões mais caras.

2
Marcando Território

Eu sou do meu amado, e ele me tem afeição.

Cantares 7.10

O que Fiz

Pendurei duas camisolas no armário do meu marido. Como temos armários separados, isso funcionou que foi uma beleza. Pendurei as duas na frente das gravatas. Fiz isso há cerca de um ano, e elas estão lá até hoje.

O Motivo

Queria deixar meu rastro no armário dele.

Como me Senti

Fiquei rindo sozinha e adorei aquele momento. Não lhe disse uma palavra sobre o que tinha feito; só fiquei esperando até que ele as encontrasse. Enquanto esperava, estava quase queimando de imaginar sua reação.

Obstáculos que Tive de Vencer

Tive de tomar muito cuidado para não ser apanhada, pois era sábado e ele estava zanzando pela casa.

A Reação dele

Passaram-se várias horas sem que ele me dissesse uma palavra. Sabia que ele já deveria ter aberto o armário, mas a tarde já estava acabando, e ele nada. Nem uma palavra sobre a minha travessura. Até que não consegui agüentar mais e soltei uma indireta. Então, ele perguntou se eu já tinha aberto o meu armário. Saí correndo até o quarto, acendi a luz, escancarei o armário e lá estava um pijama dele pendurado na porta. Dei uma risadinha, e ele rolou de rir.

O que Gostaria de Ter Feito

Já devia saber que meu marido responderia com outra brincadeira. Gostaria de ter dado uma olhada no meu armário muito antes, porque tenho certeza de que a agonia que passei o dia inteiro, esperando que ele dissesse alguma coisa, consumiu alguns anos da minha vida.

Cortando Gastos

Eu já tinha aquelas peças, de modo que não precisei gastar nada.

3
Aventura de Natal

Vem, ó meu amado, saiamos ao campo, passemos as noites nas aldeias. Levantemo-nos de manhã para ir às vinhas, vejamos se florescem as vides, se se abre a flor, se já brotam as romeiras; ali te darei o meu grande amor.

CANTARES 7.11,12

O que Fiz

Programei um encontro especial na época do Natal, que coincidia com nosso aniversário de casamento. Tinha visto um folder anunciando um "passeio de barca" no lago da cidade e achei que seria uma boa idéia. Várias barcas, cheias de passageiros, davam uma volta pelo lago, mostrando a decoração de Natal com as luzes acesas por toda a cidade. Depois disso, na praia, havia uma fogueira, corais cantando canções natalinas e uma barraquinha vendendo pipoca e chocolate quente. Meu amado e eu fomos na sexta à noite. Como era um evento bem familiar, decidimos voltar na noite de sábado, com as crianças.

O Motivo

Vi o folder sobre o passeio no balcão de uma loja, e pensei que seria um programa bem interessante, pois poderíamos ficar abraçados, apreciando apenas a paisagem. Além disso, aquele era o fim de semana do nosso aniversário de casamento, e não iríamos passar a noite fora, como fizemos em outros anos. De fato, o passeio pelo lago seria uma ótima forma de comemorarmos nossa união e passarmos momentos felizes juntos, aumentando ainda mais nossa intimidade. Assim, me lancei de coração na tarefa de criar um final de semana mágico, pertinho de casa.

Como me Senti

Este foi um daqueles momentos que deixam lembranças gostosas. Enquanto ficamos ali tranqüilos, vendo o espetáculo das luzes da cidade, pude sentir realmente a forte ligação que existe entre mim e o meu marido, e experimentar a alegria de me aninhar em seus braços.

Obstáculos que Tive de Vencer

Na época de Natal, geralmente estou cheia de trabalho, porque os prazos costumam vencer no início de janeiro. Apesar de cansada e estressada por causa do atraso no cronograma, reservei um tempo para que pudéssemos ter uma lembrança romântica daquele Natal que nos acompanhasse pelo resto da vida.

A Reação dele

Disse a meu marido que tinha organizado uma programação especial para o fim de semana, mas não contei o que era. A única coisa que ele sabia era a hora em que deveríamos estar lá. Enquanto fazia a barba e se aprontava, ele começou a "jogar verde", tentando adivinhar o que eu tinha aprontado dessa vez. No entanto, somente ria, e deixava o mistério no ar. Finalmente, ele acabou adivinhando aonde estávamos indo, e ficou se achando muito esperto. Quando chegamos ao lago, Daniel ficou de fato impressionado com tudo o que planejei para aquela noite. Depois do passeio, nos aconchegamos perto do fogo e conversamos muito.

O que Gostaria de Ter Feito

Gostaria de ter entrado em contato com a secretaria de turismo da cidade há muito tempo. Eles têm informações sobre todas as programações que estão ocorrendo na cidade, e dá para planejar encontros incríveis. As cidades vizinhas também têm secretarias que fornecem informações úteis para o planejamento de dias ou noites especiais. Ah, sim! Gostaria também de ter comprado um cobertor mais grosso, porque fez realmente muito frio naquele lago.

Cortando Gastos

O passeio de barca não saiu caro, e o chocolate com pipoca também foi barato. Como jantamos em casa com as crianças, não houve despesa com restaurante. Além disso, a esposa do pastor se ofereceu para tomar conta de nossos filhos (uma ajuda a outra nesta área, sempre que necessário), de modo que não precisei contratar uma babá. A única forma de diminuir ainda mais a despesa seria levando nosso próprio lanche.

4
O Primeiro Encontro
Wanda E. Brunstetter

Formosa és, amiga minha, como Tirza, aprazível como Jerusalém, formidável como um exército com bandeiras. Desvia de mim os teus olhos, porque eles me perturbam. O teu cabelo é como o rebanho das cabras que pastam em Gileade. Os teus dentes são como o rebanho de ovelhas que sobem do lavadouro, e das quais todas produzem gêmeos, e não há estéril entre elas. Como um pedaço de romã, assim são as tuas faces entre as tuas tranças.

Mas uma é a minha pomba, a minha imaculada, a única de sua mãe e a mais querida daquela que a deu à luz; vendo-a, as filhas lhe chamarão bem-aventurada, as rainhas e as concubinas a louvarão.

CANTARES 6.4-7,9

O que Fiz

Era o ano de 1965, e meu marido estava voltando para casa depois de um período estacionado numa base militar na Alemanha. Tínhamos ficado muito tempo longe um do outro, de modo que queria fazer algo muito especial para comemorar o seu retorno. Na segunda noite que ele passava em casa, pedi à minha mãe que tomasse conta de nosso filhinho de um ano e meio, vesti uma roupa quente e bonita, e levei meu marido para o rinque de patinação onde tivemos nosso primeiro encontro.

O Motivo

O tempo que passamos separados tinha sido difícil e uma grande provação para nós dois. Queria fazer algo bem romântico, que nos reaproximasse.

Como me Senti

Estava nervosa como uma adolescente no primeiro encontro. Afinal, não conhecia Richard muito melhor do que naquele primeiro dia, pouco menos de dois anos atrás.

Obstáculos que Tive de Vencer

Encontrar uma babá temporária para tomar conta de nosso filho de graça, ou quase de graça, era a minha principal preocupação. Então, meus pais se ofereceram. Como o pequeno Ritchie já estava acostumado com eles, fiquei tranqüila.

A Reação dele

Meu marido ficou agradavelmente surpreso, pois adorava patinar. O clima de romance surgiu com naturalidade, e em pouco tempo estávamos flertando como no primeiro encontro. Foi uma noite divertida, com muita conversa, risos e reaproximação. Nós até dividimos um milk-shake de chocolate na lanchonete. O romance e a sensação de estarmos revivendo nosso primeiro encontro nos envolveram completamente enquanto patinávamos de mãos dadas, ao som da música estridente, como dois namorados. Éramos jovens e estávamos apaixonados!

O que Gostaria de Ter Feito

Depois do encontro, fomos para casa, e encontramos tudo em silêncio. Meus pais devem ter percebido como era importante para nós ficarmos sozinhos por um tempo, e resolveram ficar com o netinho até de manhã.

Cortando Gastos

Nosso gasto foi apenas com a gasolina para ir até a pista de patinação, mais o preço dos dois ingressos, o aluguel dos patins e o milk-shake. Isso fez com que esta recriação de nosso primeiro encontro saísse relativamente barata. Se eu faria de novo? Pode apostar que sim!

5
Romance Programado

[A amada] Levanta-te, vento norte, e vem tu, vento sul; assopra no meu jardim, para que se derramem os seus aromas. Ah! Se viesse o meu amado para o seu jardim, e comesse os seus frutos excelentes!

[O amado] Já vim para o meu jardim, irmã minha, minha esposa; colhi a minha mirra com a minha especiaria, comi o meu favo com o meu mel, bebi o meu vinho com o meu leite. Comei, amigos, bebei abundantemente, ó amados.

CANTARES 4.16–5.1

O que Fiz

Coloquei um pacote de presente no carro do meu marido contendo um suco de uva e um cartão romântico, em que eu o convidava para um jantar especial. Depois, telefonei para o escritório e disse-lhe que havia deixado uma surpresa no carro dele. No fim da tarde, preparei uma carne assada, fiz uns legumes gratinados e assei umas batatas. Enquanto ele esperava sentado à mesa do jantar, derramei o suco de uva num copo alto, com muito gelo, sentei em seu colo e dei a comida em sua boca. Mais tarde, sentamos abraçadinhos no sofá por um longo tempo.

O Motivo

Durante o período de oração, pedi ao Senhor que me mostrasse o que eu poderia fazer para que meu marido se sentisse muito especial. Até aquele momento, nunca havia me passado pela cabeça dar comida na boca de meu marido. Depois de pensar no assunto, achei que seria um momento de intimidade e brincadeira.

Como me Senti

Sempre me sinto um pouco convencida quando penso num plano criativo e diferente. Mas, desta vez, tive de me gloriar no Senhor, já que sinto que esta idéia foi inspirada por Ele. Como é maravilhoso saber que servimos a um Deus que deseja que o nosso casamento tenha esses momentos divertidos!

Obstáculos que Tive de Vencer

As crianças ficaram em casa o dia inteiro, e me perguntavam sem parar: "Que presente é esse, mamãe? O que tem aí dentro?" Então, disse-lhes que aquilo era um presente meu para o papai, que era segredo, e ponto final. Para complicar ainda mais as coisas, meu marido decidiu sair mais cedo do trabalho, e apareceu em casa uma hora antes do que eu esperava. Queria encontrá-lo sozinha, porém as crianças ainda estavam em casa. Isso provocou um certo tumulto enquanto levávamos as crianças à casa de uma amiga.

A Reação dele

Quando me saí com esta idéia, ele já estava acostumado com o fato de eu armar esses encontros românticos. Com um sorriso na voz, Daniel me telefonou para confirmar nosso encontro. Depois de bebermos nosso suco de uva, fomos para a mesa. Eu não disse que iria dar comida em sua boca, até me sentar em seu colo. Nós dois rimos e conversamos durante todo o jantar. O encontro foi cheio de intimidade e aconchego.

O que Gostaria de Ter Feito

Há alguns anos, meu marido deu-me uma fita com canções românticas. Gostaria de ter colocado esta fita para tocar naquela noite, todavia me esqueci completamente. Mas *ele* se lembrou de providenciar a música romântica para criar um clima.

Cortando Gastos

Eu mesma preparei o jantar, de modo que o gasto foi pequeno. Mas, se você quiser dar um toque diferente, pode telefonar para um restaurante e pedir o serviço de entregas a domicílio.

6
A Troca das Maçanetas
GAIL SATTLER

Jardim fechado és tu, irmã minha, esposa minha, manancial fechado, fonte selada. Os teus renovos são um pomar de romãs, com frutos excelentes: o cipreste e o nardo, o nardo e o açafrão, o cálamo e a canela, com toda a sorte de árvores de incenso, a mirra e aloés, com todas as principais especiarias. És a fonte dos jardins, poço das águas vivas, que correm do Líbano!

CANTARES 4.12-15

O que Fiz

Sem ninguém perceber, troquei a maçaneta da porta do banheiro principal (que tem tranca) pela do nosso quarto (que não tem). Depois, gravei um filme para as crianças numa fita VHS e a escondi. Então, peguei a fita que havia escondido, coloquei no videocassete, chamei as crianças para assistirem o filme com o volume bem alto e puxei meu marido para o quarto. Ele sabia que as crianças estavam em casa, e ficou preocupado com a porta. Então, apontei para a maçaneta. No entanto, ele só entendeu quando contei que tinha feito a troca. Estávamos dentro — e as crianças trancadas do lado de fora!

O Motivo

Ter um momento sossegado de manhã é algo quase impossível numa casa com crianças e animais de estimação. Às vezes, quando meu marido e eu queríamos namorar um pouco, chegava a hora de dormir e nós estávamos exaustos. Ao longo dos anos, isso aconteceu várias vezes. A espontaneidade vai embora quando se têm filhos. Os nossos ainda não têm idade bastante para ficarem sozinhos, mas já estão bem crescidos para não precisarem de vigilância constante.

Como me Senti

Engenhosa — e isso aumentou ainda mais a minha motivação.

Obstáculos que Tive de Vencer

O sentimento de culpa. Afinal, eu tinha trancado as crianças do lado de fora. Porém, sei que as crianças já tinham idade para ficar sozinhas durante períodos curtos. No fim das contas, eles nem perceberam a nossa ausência.

A Reação dele

Daniel ficou impressionado com minha engenhosidade, e se sentiu comovido com o fato de eu chegar até aquele ponto somente para ter uns momentos de prazer com ele, no meio da tarde.

O que Gostaria de Ter Feito

Pensado nisso antes.

Cortando Gastos

Isso não me custou nada, porque só troquei uma maçaneta pela outra. Mas se você não tem tranca na porta de seu quarto, vá até uma loja de ferragens e compre uma. Com certeza, vai valer a pena!

7
Eu, Ele e a Massagem

LYNETTE GAGNON SOWELL

Que formosos são os teus pés nos sapatos, ó filha do príncipe! As voltas de tuas coxas são como jóias, trabalhadas por mãos de artista. O teu umbigo, como uma taça redonda, a que não falta bebida; o teu ventre, como monte de trigo, cercado de lírios. Os teus dois peitos, como dois filhos gêmeos da gazela. O teu pescoço, como a torre de marfim; os teus olhos, como os viveiros de Hesbom, junto à porta de Bate-Rabim; o teu nariz, como a torre do Líbano, que olha para Damasco.

CANTARES 7.1-4

O que Fiz

Meu marido e eu adoramos massagens nos pés. O único problema é que aquele que recebe a massagem primeiro fica tão relaxado que não tem a menor disposição de retribuir. Um dia, tive a idéia de massagearmos os pés um do outro, simultaneamente. Cada um de nós pegou um pouco de hidratante e começou a massagear os pés um do outro. Depois de uns quinze minutos, massageamos o outro pé.

O Motivo

Achei que seria divertido cuidarmos um do outro, conversar e relaxar. Uma das decisões que tomamos logo no início do casamento foi a de sermos sempre os melhores amigos um do outro. E os melhores amigos gostam de conversar e relaxar juntos. Massagear os pés um do outro é uma forma de manter contato físico e, ao mesmo tempo, prestar serviço mútuo. Nós adoramos! Certa vez, uma senhora me pediu que contasse um dos segredos do meu casamento, e respondi: eu, ele e a massagem. Depois expliquei.

Como me Senti

Se tem uma parte no corpo que não costuma ser muito atraente são os pés. Na primeira vez que massageamos os pés um do outro, tive de fazer que não via seus joanetes e calosidades, enquanto seu pé descansava em cima do meu estômago. Mas também reconheço que o meu marido tem de me amar muito para cuidar com tanto carinho dos meus dedões e calos feios.

Obstáculos que Tive de Vencer

Ficar vendo um pé a 30 centímetros da minha cara. No entanto, depois que fiquei concentrada em fazer meu marido relaxar e se sentir bem com a massagem nos pés, aquela visão já não me incomodava mais.

A Reação dele

Meu marido, que adora experimentar coisas novas, achou interessante a idéia de trançarmos nossas pernas e fazer massagem um no outro. De fato, assim que as crianças vão para a cama e começa a nossa hora, ele costuma ser o primeiro a sugerir: "Que tal uma massagem?"

O que Gostaria de Ter Feito

Desligado o telefone. É difícil atender o telefone quando se está relaxado e com as pernas trançadas. Também acho que a televisão desligada e uma música suave teriam transformado essa primeira massagem conjunta numa experiência muito mais romântica. (A propósito, por experiência pessoal, recomendo lavar os pés *antes* da massagem.)

Cortando Gastos

Isso custa só meia hora do seu tempo e um pouco de creme hidratante. Você não precisa usar creme especial para os pés. Um hidrante corporal comum, dedos ágeis e muita conversa são a recompensa. Massagear os pés é um hábito que mantemos há seis anos. Ainda estamos apaixonados, ainda nos comunicamos, e nossos pés também estão felizes.

8
Um Sonho Realizado

WANDA E. BRUNSTETTER

Tu és toda formosa, amiga minha, e em ti não há mancha. Vem comigo do Líbano, minha esposa, vem comigo do Líbano; olha desde o cume de Amana, desde o cume de Senir e de Hermom, desde as moradas dos leões, desde os montes dos leopardos.
CANTARES 4.7,8

O que Fiz

Desde que tinha dez anos, sonhava em andar de trenó. Sempre achei que deveria ser a coisa mais romântica do mundo. Logo depois que me casei, comecei a dar umas indiretas sobre o tal passeio de trenó. Como meu marido não se manifestava, resolvi ser mais clara:

— Eu queria muito fazer um passeio de trenó. Imagine só, como seria romântico!

Porém, mesmo assim, nada aconteceu... nada, durante 38 anos! Um dia, minha nora disse:

— Wanda, se você realmente quer um passeio de trenó, e acha que seria romântico, tome a iniciativa.

Levei a sério o conselho que ela me deu e telefonei para uma pequena hospedaria, numa cidadezinha de colonização bávara chamada Leavenworth, em Washington, distante umas duas horas da cidade onde morávamos. O "pacote romântico" que eles anunciavam incluía um passeio de trenó de uma hora.

O Motivo

Sendo a mais romântica da família, decidi realizar um sonho que tinha desde a infância e, ao mesmo tempo, acender uma centelha de romance no nosso casamento. Estávamos celebrando 38 anos de casamento, e eu sentia que estávamos começando a achar que não precisávamos mais fazer nada para estar um com outro.

Como me Senti

Estava cheia de expectativa e um pouco nervosa. Minha mente estava cheia de perguntas: E se Richard não gostar do passeio tanto quanto eu? E se ele não achar romântico?

Obstáculos que Tive de Vencer

Tive de fazer todo o planejamento dessa pequena escapada, convencer Richard a ir e fazer um verdadeiro malabarismo com o orçamento doméstico para pagarmos as contas.

A Reação dele

Richard aceitou tudo com boa vontade, mas só quando já estávamos no trenó, sendo puxados por dois belos cavalos, através da neve brilhante, é que seu senso de romantismo despertou.

— Isto é ótimo, querida — sussurrou ele no meu ouvido. — Precisamos voltar aqui outra vez. Quem sabe possamos fazer isso todo ano, no nosso aniversário de casamento.

O que Gostaria de Ter Feito

A única coisa que lamento é não ter tomado essa iniciativa antes. Trinta e oito anos esperando por um romântico passeio de trenó é tempo demais!

Cortando Gastos

Embora não tenha sido o encontro romântico mais barato do mundo, valeu cada centavo. O pacote que comprei incluía dois pernoites, café da manhã, sobremesa especial nos dois jantares, café e chá servidos no meio da manhã e, é claro, o passeio de trenó pela neve.

Agora, estou me perguntando: "O que mais eu poderia inventar, agora?"

9
A Garota do Calendário
Carrie Turansky

Para onde foi o teu amado, ó mais formosa entre as mulheres? Para onde virou a vista o teu amado, e o buscaremos contigo?

O meu amado desceu ao seu jardim, aos canteiros de bálsamo, para se alimentar nos jardins e para colher os lírios. Eu sou do meu amado, e o meu amado é meu; ele se alimenta entre os lírios.
CANTARES 6.1-3

O que Fiz

Meu marido e eu iríamos ficar separados por cerca de oito semanas, por conta de uma viagem missionária de curta duração. Eu estaria na Bélgica, e ele, em casa, trabalhando. O correio seria caro e pouco confiável, de modo que decidi fazer um grande calendário tamanho cartaz, com um bolso para cada dia em que eu estivesse fora. Nos bolsos, coloquei um versículo bíblico de Cantares, um bilhete de amor, uma anedota engraçada ou uma lembrança de algum momento especial para nós dois.

O Motivo

Queria que meu marido soubesse que eu o amava, mesmo que tivéssemos de ficar separados por algumas semanas. Queria que, a cada dia, ele recebesse alguma coisa minha!

Como me Senti

Eu me diverti muito preparando esse calendário para o homem que amo. Além disso, enquanto estava longe, o fato de saber que o tinha feito me ajudou a driblar a solidão, pois fez com que me sentisse mais ligada a ele.

Obstáculos que Tive de Vencer

Como levei vários dias preparando o calendário, foi complicado manter tudo em segredo.

A Reação dele

Ele adorou o calendário e ficou sensibilizado com todo o trabalho que tive para prepará-lo. Quando voltei da viagem, nosso relacionamento estava ainda mais forte. Aqueles lembretes diários do nosso amor contribuíram para que nos mantivéssemos unidos, mesmo estando em continentes diferentes. Meu marido guardou o calendário durante muitos anos.

O que Gostaria de Ter Feito

Gostaria de ter levado cópias dos bilhetes e versículos para lê-los no mesmo dia em que meu marido os estivesse lendo em casa.

Cortando Gastos

Procure as promoções de material de papelaria em lojas especializadas e magazines. Você pode fazer um calendário bem simples, com envelopes prontos, ou criar seus próprios bolsos, usando toda a sua criatividade, colando adesivos, recortando figuras de revistas e fotos do álbum de família.

10
A Sintonia do Coração

Como o cervo brama pelas correntes das águas, assim suspira a minha alma por ti, ó Deus! A minha alma tem sede de Deus, do Deus vivo; quando entrarei e me apresentarei ante a face de Deus?

SALMOS 42.1,2

A esta altura, espero que você já esteja vendo um milagre acontecer no seu matrimônio. Verdadeiramente, Deus é especialista em transformar nossos casamentos em jornadas gratificantes e divertidas. Neste momento tão especial, quando você está comemorando seu excitante relacionamento, ou está começando a torná-lo melhor, estes devocionais irão ajudá-la a se concentrar no alvo de agradar seu marido e criar uma união que faça de cada dia uma nova aventura.

Este capítulo contém três semanas de devocionais. Use-os durante seu período de oração normal para aprofundar seu conhecimento a respeito de Deus, de seu marido e do relacionamento singular que existe entre vocês dois.

Os Pássaros e as Abelhas

Eis que és formosa, ó amiga minha, eis que és formosa; os teus olhos são como os das pombas.

CANTARES 1.15

Leitura Bíblica: Cantares 1.9-15

Há pouco tempo, minha cunhada, Jeanna, se viu às voltas com a tarefa de explicar a Brandi, minha sobrinha de dez anos, sobre a questão dos pássaros e das abelhas. A menina tinha trazido um bilhete da escola, dizendo que seria exibido um filme sobre a reprodução humana e as funções do aparelho reprodutor feminino. Sendo uma mãe conscienciosa, Jeanna resolveu que deveria ser a primeira pessoa a falar sobre esse assunto com sua filha. Então, colocou os dois menores assistindo televisão e levou Brandi para o quarto, a fim de ter uma conversa "de mulher para mulher".

— O que você sabe sobre este bilhete, Brandi? — perguntou Jeanna, mostrando-lhe o bilhete da escola.

— Nada, mãe — respondeu ela, com os olhos azuis cheios de inocência.

— Você entendeu alguma coisa do que diz este bilhete? — perguntou Jeanna gentilmente.

— Não. Eu só sei que eles vão colocar todas as meninas numa sala e os meninos na outra, e vão passar um filme — disse Brandi, encolhendo os ombros.

Bem, lá vamos nós, pensou Jeanna, com certo desconforto. Então, passou a informar a Brandi sobre a maravilhosa experiência de ter um ciclo menstrual e a explicar-lhe que isso significa que o corpo da mulher é capaz de gerar um bebê.

Depois de pensar um pouco, Brandi perguntou:

— Então, isto quer dizer que, depois que o corpo começa a fazer *isso*, a gente pode ficar grávida de repente?

— Não. É preciso haver um homem e uma mulher para que possa haver uma gravidez.

— Espera um minuto — disse Brandi, levantando as mãos para dar maior ênfase. — Posso fazer uma pergunta?

— Pode — respondeu Jeanna calmamente, embora seu desconforto estivesse aumentando.

— Digamos que um garoto e uma garota gostem um do outro de montão. Aí, eles começam a se beijar muito. A garota pode ficar grávida?

— Não — explicou Jeanna. — Não se pode engravidar somente beijando. A maneira de se ficar grávida é... — e, delicadamente, explicou a Brandi os detalhes sobre a propagação da espécie.

Brandi ficou pegou o travesseiro, cobriu o rosto com ele e ficou em silêncio por alguns instantes, um pouco envergonhada, um pouco meditando sobre o que tinha ouvido. De repente, tirou o travesseiro do rosto e disparou:

— Quer dizer que *papai fez isso com você?*

— É — respondeu Jeanna, fazendo um esforço imenso para não rir.

— Isso é *nojento.*

— Depende — disse Jeanna impassível, apesar da vontade de rir.

— Então, depois disso, o seu corpo fica tendo bebês?

— Não. Toda vez que a gente quer um bebê tem que fazer isso.

Então, Brandi, com sua mente de dez anos fervilhando, exclamou:

— Espere aí! Você tem *três* filhos.

— Sim — concordou Jeanna.

— Então, isso significa que papai fez aquilo com você *três vezes*!

— No mínimo — disse Jeanna, quase explodindo de rir.

Como foi que você aprendeu sobre sexo? Felizmente, minha mãe era conscienciosa como minha cunhada, e contou-me toda a verdade. No entanto, uma tia "mais sábia e experiente", três anos mais velha do que eu, já havia me informado de muitos detalhes. Depois da explosão da revolução sexual, os pais perceberam que precisavam explicar os fatos da vida aos filhos mais cedo, numa idade em que nossos avós nem sonhariam que fosse necessário.

É claro que a revolução sexual trouxe muitas mudanças negativas para a sociedade, mas também houve transformações positivas. Por exemplo, hoje em dia, os cristãos podem falar sobre sexo dentro de um contexto apropriado. Também é correto explicarmos aos nossos filhos sobre os pássaros e as abelhas. Podemos evitar a situação desagradável de enviar nossas filhas à lua-de-mel sem que elas saibam o que as espera. Também é certo uma mulher casada gostar de sexo. Com isso, evita-se a situação ainda mais trágica que uma senhora idosa que conheço um dia me confessou: Ela foi tão doutrinada a considerar o sexo uma coisa errada que se recusava a tirar a roupa durante a relação sexual, mesmo depois de anos de casamento.

Finalmente, os cristãos chegaram à conclusão de que Deus criou o sexo e de que Ele deseja que marido e mulher se sintam realizados um com o outro. Acredito que esta seja uma das principais razões para a existência do livro de Cantares na Bíblia. Embora este sirva como metáfora para o relacionamento entre nós e o Amante das almas — Jesus —, ele também é uma declaração de que o romance e a sexualidade devem ser celebrados dentro do casamento. Em face das numerosas passagens bíblicas em que Deus condena a imoralidade, podemos ser levados a pensar, erroneamente, que o Senhor reprova a intimidade física. Entretanto, a existência desse livro equilibra a balança e nos estimula a ter prazer com o nosso cônjuge.

Qual é a sua atitude em relação à sexualidade? Ela está de acordo com a Palavra de Deus?

Senhor, à medida que meu comportamento no casamento se aproxima de tua perfeita vontade, peço-te que retires de mim quaisquer idéias negativas que eu tenha sobre sexo. Quero ter uma nova perspectiva em relação ao que o Senhor planejou para o jardim do Éden. Sei que Adão e Eva não se envergonhavam de sua nudez. Pai, livra-me de qualquer inibição que me impeça de expressar-me sexualmente com meu marido.

2
Tome a Iniciativa!

*Tudo tem o seu tempo determinado,
e há tempo para todo o propósito debaixo do céu.*

ECLESIASTES 3.1

Leitura Bíblica: Eclesiastes 3.1-8

Você gostaria de fazer seu homem se sentir como se tivesse tirado a sorte grande? Então, esforce-se para atender suas necessidades sexuais. De acordo com o Dr. Gary Rosberg, 50 a 90% dos homens casados consideram sua sexualidade um elemento primordial em seu valor como homens.[1] Portanto, quando uma esposa não vê necessidade de tomar qualquer iniciativa na vida sexual do casal, o marido pode se sentir desvalorizado em seu papel de homem. Embora eu acredite que a maioria dos homens goste da caça, não custa nada as mulheres darem a entender que estão disponíveis para serem caçadas.

Com que freqüência você inicia o sexo? Talvez seja hora de começar a fazer isso! Seu amado, provavelmente, ficará deliciado se você mostrar interesse ativo no romance em seu casamento. Estou falando em ser insinuante, não dominadora. A maioria dos homens não gosta de mulheres mandonas (e a maioria das mulheres também não gosta de homens mandões). Para evitar ser dominadora ou irritantemente agressiva, procure ver a si mesma como a sedutora pessoal de seu marido. Em vez de anunciar aos quatro ventos: "Vamos fazer amor!", jogue a isca... e, depois, veja quanto tempo ele demora a mordê-la.

> *Senhor, dá-me perspicácia para reconhecer as necessidades do meu marido, e coragem para supri-las. Liberta-me da escravidão da timidez e ajuda-me em não achar errado tomar a iniciativa no sexo. Lembra-me de que nossa necessidade de intimidade física existe porque o Senhor nos fez assim.*

3
Por que não Podemos Ser Amigos?

*Já vos não chamarei servos...,
mas tenho-vos chamado amigos...*

João 15.15

Leitura Bíblica: João 15.9-17
Todos anseiam pela lealdade de um amigo devotado. Jesus entendeu isso e passou seus braços em volta de todos. Que santo exemplo de amizade! Se queremos ser semelhantes a Cristo, temos de estender nossa amizade não só à pessoa que está do outro lado da rua, mas também ao nosso cônjuge. A principal preocupação de Jesus é que permaneçamos no seu amor (Jo 15.9); e seu principal mandamento é: "... que vos ameis uns aos outros" (v. 17). Em Provérbios 17.17 está escrito: "Em todo o tempo ama o amigo..."
Para que uma mulher seja amiga de seu marido é preciso que esteja disposta a amar em todo o tempo — até mesmo quando não está com vontade; até mesmo diante de suas imperfeições. Um verdadeiro amigo não guarda uma lista dos erros do passado, mas se esforça para ter um presente e um futuro melhores.
Transforme-se na melhor amiga de seu marido. Seja leal a essa amizade mesmo quando as emoções positivas não estiverem presentes. Um amigo...

- é sincero

- é leal

- é fiel

- evita a infidelidade verbal e não-verbal

- elogia as realizações

- compreende as necessidades

- tem interesses em comum

- gosta daquilo de que seu amigo gosta

Quando marido e mulher são os melhores amigos um do outro, eles preferem estar juntos a estar com qualquer outra pessoa. Empenhe-se em fortalecer a amizade entre você e seu marido. Pense nele como o ser humano mais importante de sua vida.

> *Pai, confesso que tenho gastado mais tempo com minhas amigas do que cultivando a amizade com meu marido. Por favor, perdoa-me. Ajuda-me a ser a melhor amiga do meu amado. Ensina-me a confiar nele, a amá-lo, a rir com ele e a participar se seus passatempos e interesses. Cria uma ligação muito forte entre nós, a ponto de ele ser a pessoa com quem eu mais deseje estar.*

4
Quando um não Quer, dois não Brigam

Não vos defraudeis um ao outro, senão por consentimento mútuo, por algum tempo, para vos aplicardes à oração; e, depois, ajuntai-vos outra vez, para que Satanás vos não tente pela vossa incontinência.

1 CORÍNTIOS 7.5

Leitura Bíblica: 1 Coríntios 7.3-5

Recentemente, soube de uma mulher que só mantinha relações sexuais com seu marido se ele trouxesse para casa uma determinada quantia em dinheiro, toda semana. Se ele não alcançasse o valor estipulado, não tinha sexo naquela semana. Uma amiga bem intencionada afirmou o óbvio:

— Você está agindo como uma prostituta, não como esposa.

Nossa sociedade é tão obcecada por sexo, que um homem — até mesmo o mais "santo" — que não seja sexualmente satisfeito por sua esposa, se sentirá extremamente tentado a encontrar satisfação fora de casa. Quando uma mulher usa o sexo como arma, e não como um presente gratuito, ela acaba intensificando as necessidades de seu marido. Por favor, não me entenda mal. *Não* estou dizendo que um homem sexualmente insatisfeito tem o direito de ter um caso. Pecado é pecado, e Deus considera cada indivíduo responsável por suas ações. Se uma esposa está sonegando sexo a seu marido, propositadamente, Deus a considerará responsável por violar esta ordenança bíblica: "Não vos defraudeis um ao outro, senão por consentimento mútuo". Paulo apresenta motivos espirituais como justificativa para a abstenção, porém há outros casos em que o casal pode preferir não ter sexo por um tempo, como, por exemplo, logo após o nascimento de um filho.

Tendo em mente esses princípios, alguns casos de adultério podem ser considerados como "pecados do casal". Como diz o provérbio, *quando um não quer, dois não brigam*, e isso também se aplica às atitudes de um cônjuge que levam o outro a se sentir tentado a pecar. Quando o adultério se concretiza, geralmente ele é fruto de anos de negligência. O marido negligencia a necessidade que sua esposa tem de afeição; a esposa, a necessidade que seu marido tem de sexo; e cada um deles passa a se concentrar apenas em satisfazer a si mesmo. As atitudes egoístas vão crescendo; o pecado aumenta. Um dos cônjuges tem um caso, e o outro se sente chocado e traído. Sei que existem mulheres que procuram satisfazer as necessidades de seus maridos e, mesmo assim, eles cometem adultério. Por exemplo, o rei Davi tinha um muitas mulheres que satisfaziam todas as suas vontades. Apesar disso, desejou Bate-Seba (veja 2 Sm 11—12). No entanto, em geral, não é este o caso.

Que atitudes você tem em relação ao sexo? Ele é um prazer que você partilha livremente com seu marido, ou um instrumento que usa para manipulá-lo? Você está disposta a despender energia namorando seu marido antes que seja tarde?

Pai, ensina-me a ver meu corpo como algo que pertence não apenas a mim, mas também ao meu marido. Ajuda-me a celebrar o sexo com meu marido. Peço que o Senhor me dê sensibilidade às necessidades dele e não permita que o espírito do egoísmo entre no meu coração. Ensina-me a ser uma amante generosa.

5
O Sr. Maravilha

De noite busquei em minha cama
aquele a quem ama a minha alma...

CANTARES 3.1

Leitura Bíblica: Cantares 3

Alguma vez, já pensou: *Gostaria de não ter me casado com meu marido! Tenho certeza de que esta não era a vontade de Deus. Com certeza existe outro homem melhor para mim, que está por aí.*

Quando o casamento está passando por turbulências, muitas pessoas podem se sentir assim. É fácil cair na armadilha de pensar que um outro cônjuge tornaria tudo diferente. Na verdade, a maioria dos matrimônios não tem grandes diferenças entre si, na maior parte do tempo. Mesmo que se casasse com outra pessoa, é quase certo que acabaria com um casamento mundano, novamente. O "cansaço" do casamento é inevitável se a mulher (ou o marido) não se compromete a atiçar as brasas, de vez em quando. Já que Deus nos exorta a cumprir os votos que fizemos, por que não revitalizar este casamento?

O que você viu em seu marido que fez com que se casasse com ele? Relembre essas características. Concentre-se nos pontos positivos de seu marido. Olhe para ele de uma forma diferente. O homem dos seus sonhos pode já estar dividindo a cama com você.

> *Pai amado, perdoa-me por não apreciar meu marido. Ajuda-me a vê-lo de uma forma diferente. Faça-me lembrar de todas as suas qualidades e ajuda-me a dar valor a elas, e não aos seus defeitos. Desejo desesperadamente me apaixonar por meu marido outra vez. Ajuda-me a amá-lo como o Senhor o ama.*

6
Quero Segurar sua Mão

*O seu falar é muitíssimo suave; sim, ele é totalmente desejável.
Tal é o meu amado, e tal o meu amigo, ó filhas de Jerusalém.*

CANTARES 5.16

Leitura Bíblica: Cantares 5
Quanto tempo faz que você não segura *realmente* a mão do seu marido? Há quanto tempo você não sente *de fato* a textura da pele de sua palma? Desde quando você não olha dentro dos olhos dele? Quando foi a última vez que você disse que ele não está sozinho nesta jornada chamada vida? Há quanto tempo você não demonstra *de maneira radical* o seu amor incondicional por ele e cumpre seu ministério com ele — seja apenas sentando ao seu lado ou suprindo uma necessidade específica?

É muito mais fácil ouvir Deus nos "chamar" para um ministério na igreja do que ouvir sua voz nos chamando para ministrar aos nossos próprios cônjuges. Sim, sei que o ministério é recíproco. Não estou dizendo que você é a única que deve ministrar; Deus chama *ambos* os cônjuges para servirem um ao outro. No entanto, também não estou dizendo que, se o seu marido não está fazendo a parte dele, isso lhe dá o direito de não fazer a sua. Como esposa cristã, você foi chamada a viver segundo as Sagradas Escrituras, independentemente de qual seja a opção de seu marido.

Tenha a ousadia de colocar a Palavra de Deus em ação em sua vida. Mesmo que seu marido não seja crente, você ficará maravilhada com o que vai acontecer em seu casamento. Depois de algum tempo, você e ele podem estar novamente se desdobrando em cuidados um com o outro. Nunca subestime o poder de Deus, que pode transformar vidas destruídas numa melodia de santidade.

Senhor, preciso de coragem. Tenho medo de viver a tua Palavra plenamente e não ser correspondida por meu marido. Se isso acontecer, vou me sentir frustrada e derrotada. Sinto-me tentada a continuar vivendo do mesmo jeito que sempre vivi, porque é mais confortável. Dá-me a coragem e a sabedoria necessárias para que eu comece a deixar Cristo viver em mim e possa servir a meu marido.

7
Viva a Diferença!

E Isaque saíra a orar no campo, sobre a tarde; e levantou os olhos, e olhou e eis que os camelos vinham. Rebeca também levantou os olhos, e viu a Isaque, e lançou-se do camelo, e disse ao servo: Quem é aquele varão que vem pelo campo ao nosso encontro? E o servo disse: Este é meu senhor. Então, tomou ela o véu e cobriu-se. E o servo contou a Isaque todas as coisas que fizera. E Isaque trouxe-a para a tenda de sua mãe, Sara, e tomou a Rebeca, e foi-lhe por mulher, e amou-a. Assim, Isaque foi consolado depois da morte de sua mãe.

GÊNESIS 24.63-67

Leitura Bíblica: Gênesis 24

Alguns pesquisadores defendem a teoria de que não existem grandes diferenças entre homens e mulheres. Francamente, custo a crer que alguém possa aceitar essa tese como verdadeira. Na minha opinião, existe uma prova muito simples de que essa igualdade entre homens e mulheres não existe.

Batom.

Isso mesmo. Batom. Não existe um único homem sadio neste mundo que queira usar batom. E muitos psiquiatras afirmam que um dos sinais de saúde mental numa mulher é o fato querer parecer feminina — seja com um belo penteado, blusas vaporosas ou um pouco de batom. Agora, quando um homem começa a querer usar batom... não precisa dizer mais nada!

Estou certa de que você já percebeu que seu marido é tão diferente de você quanto um melão é de um camelo. Pergunto-me quanto tempo levou para que Isaque e Rebeca percebessem que tinham grandes diferenças. Pergunto-me se Isaque, algum dia, olhou para Rebeca e perguntou:

— Afinal, por que você gosta de usar jóias de nariz?

Talvez Rebeca tenha encarado Isaque e pensado: "Esse homem só pensa em sexo! Eu mal o conhecia e, quando dei por mim, já estávamos casados e na tenda!"

Por outro lado, daria tudo para estar lá quando eles se conheceram. A eletricidade entre os dois deve ter sido tão grande que seria capaz de incendiar uma floresta inteira!

Isso é que é bom nas diferenças: os opostos se atraem. E não há nada mais oposto que um homem e uma mulher. E como as labaredas voam por causa dessas diferenças! Na próxima vez em que você se sentir tentada a menosprezar seu marido por causa de seu comportamento "tipicamente masculino", segure as críticas e dê graças a Deus por isso.

Pai, talvez o Senhor fique rindo quando observa meu marido e eu. Bem, há dias em que me pergunto se o homem com quem me casei não veio de outro planeta. Mas, Pai, ajuda-me a lembrar de que tenho tantas esquisitices quanto ele. Não me deixes ficar tão ligada aos pontos fracos de meu marido de forma que não veja suas qualidades. Ensina-me a amar sua masculinidade e apreciar nossas diferenças.

A Sintonia do Coração

8
"Segura essa bola!"

Irai-vos e não pequeis; não se ponha o sol sobre a vossa ira. Não deis lugar ao diabo. Antes, sede uns para com os outros benignos, misericordiosos, perdoando-vos uns aos outros, como também Deus vos perdoou em Cristo.

EFÉSIOS 4.26,27,32

Leitura Bíblica: Efésios 4.17-32

Meu marido está treinando um time de futebol infantil, onde jogam nosso filho e vários garotos pequenos das redondezas. Eles já passaram dos exercícios com cones e pneus, e estão começando a disputar suas primeiras partidas. Outro dia, meu marido comentou como é difícil se comunicar com os meninos, dentro e fora do campo. Quando precisa dar instruções ao time, tem de gritar mais alto que a torcida de pais e mães para se fazer entender pelo time. Num dos primeiros jogos, um menino chamado Bart, que joga como zagueiro, estava tendo dificuldades para impedir que o atacante do time adversário passasse por ele com a bola. Quando via o menino correndo em sua direção, saía da frente, instintivamente, e depois corria atrás do atacante, que era mais rápido. Esse erro já havia permitido que o time adversário marcasse duas vezes.

No intervalo, meu marido chamou Bart e disse:

— Bart, quando o atacante deles vier correndo com a bola, quero que você marque o cara. Não o deixe passar. Segura essa bola!

— Tá legal! — respondeu Bart.

Quando o jogo recomeçou, o atacante do outro time foi direto pelo lado onde estava Bart, contando que ele sairia da frente, como das outras vezes. Mas, dessa vez, fez direitinho o que o treinador havia dito: segurou o garoto pela camisa, meteu a chuteira na canela dele para deixá-lo bem marcado e, quando caiu, Bart correu atrás da bola, jogou-se em cima dela e segurou-a com toda a força. É claro que foi expulso, mas o atacante deles também não fez mais nenhum gol.

Quando Daniel disse a Bart para não deixar o atacante passar e segurar a bola, não estava dizendo para nocautear o menino e agarrar a bola! Mas foi isso que Bart entendeu.

Quantas vezes já aconteceram problemas de comunicação no seu casamento? Depois de quase vinte anos de casada, já perdi a conta. Contudo, assim como a falta de comunicação entre Daniel e Bart acabou trazendo "certo lucro" para o time, Deus também pode fazer com que os equívocos do nosso casamento acabem redundando em benefício, *se* permitirmos que Ele tome conta da situação. Quando meu marido e eu resolvemos alguma discórdia e dizemos: "Sinto muito", geralmente nos sentimos muito mais próximos um do outro. E sempre existe uma compensação!

Querido Deus, ensina-me a me comunicar melhor. Ajuda-me a abrir meu coração com meu marido. Ensina-me a ouvir ativamente o que ele diz, repetindo suas idéias para garantir que eu esteja entendendo exatamente o que ele quer comunicar. Não quero criar barreiras entre nós. Faça com que a nossa conversa seja cheia de confiança e amor.

9
Lei ou Amor

O cumprimento da lei é o amor.
ROMANOS 13.10

Leitura Bíblica: Romanos 13.8-14

O modo como você vive seu casamento se baseia na lei ou no amor? Quando o matrimônio é regido por uma lista de regras e regulamentos, sobra pouco espaço para exercermos e apreciarmos nossas características pessoais. Será que, agindo assim, não estamos errando completamente o alvo do casamento cristão? Não estamos perdendo a visão de duas pessoas derramando amplas doses de amor cristão incondicional uma sobre a outra?

Se você comprou a idéia de que existe alguma área em seu casamento, ou em sua casa, pela qual não seja responsável diante de Deus, então deve estar esperando que seu marido seja um homem perfeito. A mulher que pensa assim, acaba altamente frustrada, porque vê uma porção de coisas que seu marido poderia fazer para melhorar o casamento, mas ele não faz. Além disso, fica irritada porque ele nunca parece estar onde deveria, espiritualmente falando. Se essa descrição combina com seu matrimônio, talvez você seja o tipo de pessoa que acha que Deus espera que cada um dos cônjuges cumpra sua parte na lista de regulamentos e tarefas do casamento — e nada mais que isso. Porém, nada poderia estar mais distante do plano de Deus para a união de seus filhos do que esta idéia.

Seja a mulher que Deus espera que seja! Não fique presa! Não pense que Deus gosta de passividade! Você foi feita de uma forma singular, à imagem de Deus. Ouse ser você mesma e demonstre seu amor por seu marido, como só você pode fazer!

Senhor, mostra-me como o Senhor quer que o meu casamento seja. Dê a mim e ao meu marido sabedoria para identificar qualquer ensinamento que tenha colocado nossa união debaixo de escravidão. Ensina-

me a apreciar minhas próprias características positivas. Lembra-me de que meu casamento pode ser excelente, e será, se eu me esforçar para que seja. Senhor, enche-me com um amor que reflita a tua vontade.

10
Senhor?

Porque assim se adornavam também antigamente as santas mulheres que esperavam em Deus e estavam sujeitas ao seu próprio marido, como Sara obedecia a Abraão, chamando-lhe senhor, da qual vós sois filhas, fazendo o bem e não temendo nenhum espanto.

1 PEDRO 3.5,6

Leitura Bíblica: 1 Pedro 3.1-7

Quando escolhi esta passagem, quase me encolhi. Já vi passagens como essa serem usadas mais de uma vez para restringir e degradar as mulheres. Entretanto, embora essas passagens sejam mal utilizadas e mal interpretadas, não podemos ignorá-las. Todo trecho da Escritura é verdadeiro e belo, pois é inspirado por Deus. Se as mulheres explorarem as pérolas de sabedoria encontradas na Bíblia, encontrarão muitos princípios espirituais edificantes e equilibrados.

Em primeiro lugar, a submissão da mulher é uma poderosa fonte de influência junto ao marido, seja ele crente ou não. Embora Deus chame todos à submissão, lembre-se de que não estaremos desobrigadas desse dever ainda que nossos maridos não estejam agindo de acordo com a vontade de Deus.

Em segundo lugar, as mulheres santas sabem que a verdadeira beleza vem de dentro, e não de um cabelo perfeito, uma maquiagem bem feita e roupas caras. Naturalmente, as mulheres querem ser belas, e não há nada de mal em nos tornarmos atraentes. Todavia, não devemos basear nossa auto-estima na aparência exterior, mas sim em quem somos em Cristo. Nosso relacionamento pessoal com o Senhor se fortalece e torna nosso espírito cada vez mais belo.

Costumava rejeitar passagens bíblicas como a de hoje porque via muitas pessoas usando-as para justificar abusos. Mas, um dia, decidi começar a chamar meu marido de "senhor", somente para ver o que acontecia. Na época em que comecei a chamá-lo assim, estava tão animada com os resultados de minha decisão de namorar meu marido, que estava disposta a experimentar praticamente qualquer coisa! Comecei dizendo coisas como: "Então, como foi seu dia, grande senhor?" ou "Claro que eu passo o sal, ó grande senhor". Meu marido apenas ria e revirava os olhos. Às vezes, dava uma piscadela insinuante e... você pode preencher as lacunas. Então, um dia, meu amado me surpreendeu quando estava saindo para o trabalho. Ele passou os braços pela minha cintura, e disse:

— Espero que tenha um ótimo dia, ... ó grande senhora.

O tom alegre em sua voz fez com que eu desse uma risadinha de felicidade. Nunca esperei que ele retribuísse meus agrados. Estava surpresa e emocionada!

Isso nos leva ao terceiro ponto dessa passagem da Escritura. Quando nos dispomos a procurar orientações para o nosso casamento em toda a Bíblia, não podemos fazer vista grossa às passagens que não se encaixam em nossas idéias preconcebidas. "Maridos, vós, *igualmente*, vivei a vida comum do lar, com discernimento; e, tendo consideração para com a vossa mulher." Quando Pedro diz "igualmente", ele está se referindo a tudo o que já havia dito às esposas. Os maridos são exortados a fazer por suas esposas tudo o que o apóstolo tinha dito às esposas para fazerem por seus maridos.

"Portanto, tudo o que vós quereis que os homens vos façam, fazei-lho também vós" (Mt 7.12).

Pai, ajuda meu espírito a não resistir à tua Palavra. Ensina-me a ler a Bíblia toda, e não apenas algumas passagens. Quero aplicar fielmente todos os princípios da tua Palavra à minha vida e ao meu casamento. Ajuda-me a ver meu marido como "senhor", e não como uma criança.

Uma Mulher "Chayil"

Mulher virtuosa, quem a achará? O seu valor muito excede o de rubins.

PROVÉRBIOS 31.10

Leitura Bíblica: Provérbios 31.10-31

Algumas pessoas acreditam em mitos como o de que as mulheres são melhores que os homens ou de que, para ter valor, a mulher precisa ser uma executiva com um salário anual exorbitante. Segmentos da sociedade têm ensinado diversas mentiras entre as mulheres. Outra mentira que até o mundo secular está agora refutando é aquela de que praticamente não há diferenças entre homens e mulheres. Não sei por que esta última hipótese se tornou popular, já que, provavelmente, há milhões de diferenças entre homens e mulheres! Pensamos de maneira diferente, agimos de maneira diferente. Processamos a informação de maneira diferente. Nossos corpos são diferentes. Nossos desejos são diferentes.

Infelizmente, numa reação reflexa a algumas noções errôneas defendidas pela sociedade, muitas mulheres cristãs acreditam que o oposto do "mundanismo" é a passividade. Em vista disso, elas acham que, para agradar a Deus, precisam ser: 1) espiritualmente mais fracas que seus maridos; 2) passivas no que diz respeito à espiritualidade de seus lares; 3) sem iniciativa em outras áreas de seu casamento (inclusive sexo). A afirmação de Paulo, de que "o marido é a cabeça da mulher, como também Cristo é a cabeça da igreja" (Ef 5.23), tem sido interpretada de forma errada, de modo a fornecer uma estrutura que limita os casais, em vez de capacitá-los.

Para aceitar a doutrina da passividade feminina, os cristãos têm de fechar os olhos às grandes mulheres da Bíblia, como a profetisa e juíza Débora, a rainha Ester e a mulher de Provérbios 31. Na leitura bíblica de hoje, a palavra "virtuosa" é uma tradução do hebraico *chayil*, que significa "poder, força, capaz, valoroso, virtuoso, valor, exército, hostes, forças, tesouro, substância, riqueza". *Chayil* é usada 244 vezes no Antigo Testamento. Por exemplo, no livro de Provérbios, *chayil* é usada para falar sobre uma grande mulher de Deus em sua casa.

Tanto o homem quanto a mulher exercem poder dado por Deus no relacionamento conjugal, o que não tem nada a ver com controle ou chauvinismo (feminino ou masculino). Não tenha medo de pedir ao Senhor que revele seus planos para sua vida. Em pouco tempo, você descobrirá que tem muito valor aos olhos de Deus, e que Ele a considera como uma criação preciosa. Leia e releia as histórias das mulheres que Deus honrou. Você chegará à conclusão de que o Senhor honra todos aqueles que o buscam, quer sejam homens quer sejam mulheres.

Senhor, ajuda-me a basear minhas concepções sobre o casamento naquilo que a Bíblia diz em sua totalidade. Mostra-me a riqueza da tua bênção, que se manifesta na Escritura e na atuação do teu poder no meu lar e no meu casamento. Que eu possa ver-me como o Senhor me vê. Livra-me das inseguranças que adquiri através de interpretações errôneas da Bíblia Sagrada. Lembra-me diariamente de que fui criada à sua imagem, e de que o Senhor me ama.

12
O Senhor Conserta

*O Espírito do Senhor Jeová está sobre mim,
porque o Senhor me ungiu para pregar boas-novas
aos mansos; enviou-me a restaurar os contritos de coração,
a proclamar liberdade aos cativos e a abertura de prisão aos presos.*

Isaías 61.1

Leitura Bíblica: Isaías 61

Outro dia, milha filha pequena sentou-se no chão, perto de mim, enquanto eu fazia a maquiagem.

— Mamãe — perguntou ela —, você consegue transformar esta pulseira num colar? Eu quero colocar no pescoço.

Olhei para baixo e vi que ela segurava uma pulserinha de plástico que nunca encaixaria no seu pescoço. Então, disse:

— Benzinho, não dá para fazer isso. Em primeiro lugar, a pulseira não passa pela sua cabeça. Em segundo lugar, para tentar colocá-la em volta do seu pescoço, eu teria de quebrá-la. Isso não foi feito para ser um colar; é uma pulseira.

Mais tarde, lembrando dessa conversa, percebi que aquela situação era parecida com a de muitos casamentos. Deus não criou a mulher para ser a mãe de seu marido. A esposa deve ser amante, amiga, parceira e companheira. Quando se torna uma esposa-mãe, ela está quebrando o casamento para desempenhar uma função que Deus não lhe atribuiu. Assim como a pulseira nunca se encaixaria no pescoço de Brooke, um casamento assim não se "encaixa" nos padrões que Deus determinou. Isto significa que os casais podem passar a vida inteira juntos sem jamais experimentarem o êxtase de se tornarem verdadeiros amantes, deixando de lado o controle e a manipulação — realmente tornando-se um só e sendo um exemplo vivo do amor incondicional de Deus.

Seu casamento está "quebrado"? A especialidade de Deus é consertar relacionamentos quebrados e transformá-los em algo muito mais precioso do que você e seu marido jamais poderiam imaginar. Deixe Deus quebrar o que não se encaixa no seu casamento, para que ele se torne um refúgio celestial.

Pai, estou começando a perceber que alguns problemas no meu casamento são causados por mim. Por favor, peço que o Senhor me dê a sabedoria necessária para deixar de ser uma esposa-mãe. Não sei bem como ser uma amante para o meu marido, mas o Senhor o criou e o conhece como eu jamais o conhecerei. Então, comece a me mostrar hoje o que devo fazer para que o Senhor fortaleça meu casamento.

13
Um Espírito de Unidade

Jeanette K. DeLoach

E ambos estavam nus, o homem e a sua mulher;
e não se envergonhavam.

GÊNESIS 2.25

Leitura Bíblica: Gênesis 2.4-25
Criar um espírito de unidade é muito importante para a intimidade sexual. Quando um casamento não vai bem, a vida sexual do casal sofre. É preciso que você reconheça que Deus uniu vocês dois. Isso vai muito além do fato de você ter escolhido um parceiro. É preciso pensar como um casal. Leve seu marido em consideração quando tomar suas decisões, pois isso fará com que ele sinta que as coisas que faz por você estão tendo reconhecimento, e que é especial em sua vida. No relacionamento conjugal, somos mordomos da uma intimidade com que Deus nos abençoou. Os casais que percebem claramente esta unidade, deleitam-se em seus mistérios. Eles usam seu casamento para honrar a Deus. Quando nos agradamos um do outro, estamos agradando ao Senhor, pois foi Ele que criou essa unidade.

Outro aspecto importante para a saúde do casamento é a existência de uma atmosfera de aceitação. Um dos maiores presentes que você pode dar a seu parceiro é aceitá-lo como ele é. A maioria das pessoas tenta mudar seus cônjuges. Isso é justamente o oposto de aceitação, e provoca uma ruptura no relacionamento do casal. Conhecer as necessidades e anseios um do outro é importante para a intimidade; e a fim de que haja esse conhecimento é necessário que o casal compartilhe seus pensamentos, carências, sonhos e esperanças. Também é importante que marido e mulher resolvam seus conflitos antes de pensarem em manter relações íntimas. Não existe nada que mate o desejo tão depressa quanto o ressentimento.

Não existe casamento maravilhoso sem sexo maravilhoso. Mas a excelência do sexo não se define através de parâmetros como freqüência e variedade. Um relacionamento sexual saudável é aquele em que os *egos* são deixados do lado de fora da porta do quarto. Marido e mulher têm de se sentir completamente à vontade um com o outro fora do quarto para serem capazes de compartilhar seus anseios, necessidades e desejos no momento da intimidade. O relacionamento sexual deve ser uma celebração do dom do sexo. A sexualidade é uma forma de expressarmos amor e respeito, e de demonstrarmos que apreciamos nosso cônjuge e somos gratas pelo que ele faz por nós. Se não estamos nos entregando totalmente, privamos a nós mesmas e ao nosso cônjuge do mais maravilhoso presente dessa intimidade, depois dos filhos. É preciso varrer do ambiente conjugal toda crítica e manipulação.

Compromisso é outro ingrediente muito importante para a intimidade. Os votos que fizemos diante de Deus foram uma aliança — uma promessa que não pode ser quebrada. Para que a intimidade sexual se expresse plenamente, os cônjuges não podem ter medo de serem rejeitados ou descartados. O fato de saberem que estão juntos para o que der e vier, traz uma sensação de segurança que aumenta a intimidade e a realização sexual.

Pai querido, ensina-me a celebrar o sexo com meu marido. Quebra as cadeias do passado. Ajuda-me a entrar numa nova dimensão em meu relacionamento conjugal. Ó, Senhor, não permitas que a vida passe sem que eu descubra a maravilhosa intimidade que tu podes criar entre marido e mulher.

14
Espaço e Graça

Quando eu era menino, falava como menino, sentia como menino, discorria como menino, mas, logo que cheguei a ser homem, acabei com as coisas de menino.

1 Coríntios 13.11

Leitura Bíblica: 1 Coríntios 12.31—13.13

Meu filho de sete anos já sabe passar suas roupas, preparar seu café da manhã, vestir-se, amarrar os sapatos, pentear o cabelo, tomar banho sozinho, regar o jardim e fazer os deveres da escola sem ninguém mandar. Minha filha de cinco anos sobe num banquinho e lava a louça, esquenta seu leite no microondas, toma banho sozinha, veste-se e amarra seus sapatos sem ajuda, penteia o cabelo e escova os dentes (mas estou sempre por perto, caso ela precise de ajuda). Na última vez que meus três sobrinhos passaram a noite lá em casa, fiquei dormindo, enquanto meu filho de sete anos preparava omeletes, no microondas, para ele, a irmã e os três primos. Meus filhos também recebem mesada, e estão aprendendo a administrar seu dinheiro — inclusive os dízimos. Enquanto escrevo este capítulo, eles estão, pela primeira vez, tomando a iniciativa de colocar um punhado de toalhas de banho na lavadora de roupas. Uau!

Será que meus filhos fazem tudo isso com perfeição? Claro que não. Quando meu filho passa a roupa, às vezes esquece alguma parte. Minha filha escova os dentes e a bochecha também. Quando ela penteia o cabelo, geralmente deixa alguns fios fora do lugar. Às vezes, os pratos não ficam bem limpos, ou ela não enxágua todo o sabão. Meu filho faz uma tremenda bagunça na cozinha quando prepara omeletes no microondas — o pacote de queijo ralado fica em cima da pia, e sempre tem cascas de ovos no chão. Eu não ficaria surpresa se, entre as toalhas de banho que eles colocaram na máquina, houver uma camiseta ou duas (se o gato não tiver entrado na máquina, estamos no lucro). Contudo, nunca reclamo dessas imperfeições. Meu alvo como mãe é ajudá-los a serem *independentes*.

Quando tinha sete anos, passava minhas roupas. Quando tinha oito, comecei a aprender a cozinhar. Quando estava no Ensino Médio, pagava minhas despesas. Comprava minhas roupas, comprei meu próprio carro e paguei meu anel de formatura. Há pouco tempo, ouvi falar de uma pessoa que, com cinco anos, acordava cedo, acendia o fogão a lenha e preparava o café da manhã para toda a família — com biscoitos enrolados à mão!

Onde quero chegar? *A dependência é aprendida.* Este tipo de comportamento é ensinado pela família. Se meus filhos pequenos são capazes de fazer tudo isso sozinhos, tenho a impressão de que homens saudáveis e crescidos não precisam que suas esposas ajam como suas mães, catando tudo o que eles deixam espalhado, reclamando com eles o tempo todo ou refazendo "direito" aquilo que eles se prontificam a fazer. Você está disposta a permitir que seu homem cresça? Mesmo que isso signifique deixar que ele faça as coisas do jeito dele, e não segundo os seus padrões? Seja uma esposa-amante, e não uma esposa-mãe. Embora essa transição leve tempo, você não vai se arrepender.

> *Pai, confesso que, algumas vezes, tenho me comportado como uma esposa-mãe. Ajuda-me a parar de ver meu marido como alguém que não consegue fazer nada sozinho. Enquanto pensar nele dessa forma, não conseguirei respeitá-lo como adulto. Dá-me a graça de permitir que ele faça as coisas do seu jeito. Dá-me sabedoria para aceitar o que ele faz e não tentar consertar. Ajuda-me a ser sua amante, e não sua mãe.*

15
Tempestade Passageira

*Como um pai se compadece de seus filhos,
assim o SENHOR se compadece daqueles que o temem.
Pois ele conhece a nossa estrutura; lembra-se de que somos pó.*
SALMOS 103.13,14

Leitura Bíblica: Salmos 103

Meu marido e eu não brigamos muito, porém, como qualquer outro casal, temos momentos de tensão. Lembro-me de uma certa noite, em particular. O motivo da "discussão" não vem ao caso, mas o fato é que trocamos algumas palavras ásperas na frente das crianças. Apesar de não fazermos grande esforço para esconder nossas briguinhas das crianças, é raro eles nos verem discutindo.

No meio de nossa rápida altercação, nosso filho Brett exclamou:

— Espera aí! Vocês estão brigando! Mas pensei que tinha dito que vocês nunca brigam!

— Não — respondi. — Nunca disse que papai e eu não brigamos. O que disse é que nós quase nunca brigamos.

Isso acabou com a discussão entre meu marido e eu, todavia ficou uma nuvem de tensão entre nós, que estragou o resto da noite. Daniel e eu nos evitávamos sempre que podíamos. Não falávamos um com o outro, a não ser o estritamente necessário. Estava me perguntando de que planeta ele teria caído e pensando que, se esperava ter alguma coisa comigo naquela noite, podia tirar o cavalinho da chuva! No entanto, algo me diz que ele estava pensando mais ou menos a mesma coisa em relação a mim.

Bem, aquela noite "deliciosa" se arrastou até a hora de dormir. Só então, percebi que o pequeno Brett, que tinha seis anos na época, estava colando corações vermelhos auto-adesivos na parede da sala de jantar. Primeiro, ele colou um na quina da mesa da sala de jantar. Depois, fez uma trilha de corações até o escritório, onde estava meu marido. Então, Brett, apontando para a trilha de adesivos na parede da sala de jantar, disse:

— Mamãe, você começa bem aqui e segue os corações.
Depois, falou:
— Papai, você segue sua trilha.

Como bons pais obedientes que somos, fizemos nossas tarefas direitinho, e acabamos no mesmo lugar, perto da mesa de jantar.

— Agora — disse Brett —, podem fazer as pazes.

Daniel e eu sorrimos envergonhados e, depois, nos abraçamos. O clima tenso se dissipou. Pedimos desculpas humildemente. Então, me convenci, mais uma vez, de que meu marido é mesmo do planeta Terra, e que é o homem mais maravilhoso do mundo.

Nenhum casamento, não importa quão estável seja, está livre de percalços. Les e Leslie Parrot, os mestres do relacionamento conjugal, afirmam: "Nós ainda temos nossos momentos de impaciência, raiva, crises de ciúmes e todo o resto. Ainda temos necessidades, impulsos e desejos que entram em choque com o amor sacrificial".[2] Todos os casais passam por momentos em que a exaustão e as diferenças de opinião geram tensões. Entretanto, Deus deseja que o casamento cristão apresente um clima de cooperação e amor, porque nossos espíritos se mesclaram e não buscamos mais satisfazer apenas nossos interesses particulares. Acredito que o Senhor deseje que a unidade seja a tônica do nosso casamento, e que sua graça abunde nos momentos de discórdia. Como o versículo de hoje revela, Deus compreende que há dias em que as coisas não vão muito bem no nosso relacionamento conjugal. Peça-lhe ajuda para acalmar as tempestades.

Pai, ajuda-me a não fazer tempestade em copo d'água. Lembra-me de que tenho idiossincrasias, assim como meu marido. Ensina-me a ser longânima como tu és. Não me deixes ficar tão concentrada nos defeitos de meu marido a ponto de perpetuar os conflitos entre nós. Não quero perder a chance de ter um casamento maravilhoso.

16
Minha Avó me Mataria!

Porque os meus pensamentos não são os vossos pensamentos, nem os vossos caminhos, os meus caminhos, diz o Senhor. Porque, assim como os céus são mais altos do que a terra, assim são os meus caminhos mais altos do que os vossos caminhos, e os meus pensamentos, mais altos do que os vossos pensamentos.

Isaías 55.8,9

Leitura Bíblica: Isaías 55

À medida que me aproximo do final deste livro, um pensamento não sai da minha cabeça: *Se minha avó estivesse viva, ela me mataria!* Com certeza, ficaria arrasada se soubesse que eu estava escrevendo um livro como este. Quando ela se casou (no início do século XX), ninguém falava sobre sexo. Moças de boa família não gostavam de sexo — ou, se gostassem, jamais admitiam. As mães geralmente diziam às filhas que sexo era um dever conjugal que a mulher deveria suportar. Se as filhas tinham alguma dúvida, conversavam com as mães, porém nunca tocavam no assunto com aqueles com quem faziam sexo — seus próprios maridos. Depois de um ano de casamento, os maridos coçavam a cabeça e se perguntavam: *Isso é o máximo que se consegue?*

É muito fácil rir das atitudes de nossos avós com relação ao sexo, mas será que estamos assim tão melhores que eles? Já vi muitas esposas jovens torcerem o nariz com repugnância e dizerem: "Ele só pensa nisso!" Também já vi mulheres cristãs que compraram a idéia de que Deus espera que as mulheres sejam sexualmente passivas. Algumas pessoas foram até ensinadas a pensar que as mulheres cristãs devem ser apenas receptivas, esperando que seus maridos tomem todas as iniciativas no relacionamento amoroso. Por causa disso, muitas esposas têm medo de serem ridicularizadas ou menosprezadas se tomarem a iniciativa na cama.

Estas atitudes acabam colocando os casamentos modernos quase na mesma situação que os de nossos avós — uma gradual aceitação de que o máximo que se consegue é um relacionamento sexual medíocre. Sempre houve alguns poucos que transcenderam a mediocridade — até mesmo há cem anos —, mas, para a maioria, o que resta são... bocejos...

Como está seu casamento? Você está bocejando? Se estiver, talvez esteja na hora de fazer uma lista dos conceitos errados que você aprendeu durante seu condicionamento social, ou em interpretações errôneas da Palavra de Deus, ou nas tradições passadas de geração em geração. Amasse a lista. Queime-a. Abra a Palavra de Deus em Cantares e peça ao Senhor para redefinir suas atitudes em relação ao sexo e ao seu marido.

Pai, o Senhor conhece meu marido melhor do que eu. Estou pedindo ao Senhor, neste momento, que me dê uma idéia para agradá-lo na área sexual. Vou sentar-me aqui, em silêncio, até que o Senhor inspire minha mente com sua criatividade. Senhor, não me deixes bocejar novamente por achar minha vida sexual maçante!

17
Uma Tempestade atrás da outra

Porque Deus não nos deu o espírito de temor, mas de fortaleza, e de amor, e de moderação.

2 TIMÓTEO 1.7

Leitura Bíblica: 2 Timóteo 1

No leste do Texas, temos nossa cota de tempestades violentas. Algumas delas produzem tornados que aniquilam cidades inteiras. Quando nuvens negras começam a se formar no céu, a maioria de nós liga correndo o canal de meteorologia para ver se estamos correndo risco de ir pelos ares. Quando estava na pós-graduação (no Texas), fui colega de turma de uma mulher da Califórnia. Ela disse-me que as pessoas sempre perguntavam como conseguia viver tranqüila num estado com tantos terremotos. Ela respondia: "Terremotos? Isso não é *nada*, comparado com esses tornados que vocês têm aqui! Eles quase enlouquecem a gente! Parece que, de cada duas tempestades, uma acaba gerando um tornado; e a gente fica de olho na tela da TV e pensando: *Está se aproximando! Está se aproximando! É agora que eu vou morrer!*"

Alguns casamentos são assim. Uma nuvem negra está sempre pairando sobre o relacionamento do casal, e o marido e/ou a mulher vivem sempre com medo de que outro tornado avance sobre eles. Cada palavra, cada expressão, cada gesto, cada ação é sempre marcado por uma hostilidade sub-reptícia. Alguns casamentos cristãos têm um clima de tumulto e tensão, com pancadas de harmonia ocasionais. Estas podem surgir em ocasiões especiais e, em seguida, desaparecer tão depressa quanto surgiu, em virtude de disputas pelo poder dentro do casal.

Este ciclo de embates não é o que Deus planejou para o casamento. Jesus pode capacitar os casais, derramando sobre eles o seu amor e dando ao seu relacionamento uma estabilidade que vem através da autodisciplina. O Senhor quer que o nosso casamento seja um pedacinho do céu. Ele deseja que marido e mulher sejam amigos, amantes, confidentes e a expressão viva do amor incondicional de Deus. Imagine o impacto que os casais cristãos teriam sobre o mundo se demonstrassem, realmente, o amor incondicional de Cristo.

Quais são as condições do tempo no seu casamento?

Jesus, ensina-me a amar como Tu amas.

18
Um Propósito Determinado por Deus
Jeanette K. DeLoach

Vem depressa, amado meu, e faze-te semelhante ao gamo ou ao filho dos corços sobre os montes dos aromas.

Cantares 8.14

Leitura Bíblica: Cantares 8.10-14
Os casais precisam saber que seu relacionamento tem um propósito determinado por Deus. O sexo é um presente que Deus deu aos casados para: gerar vida (Gn 2.24), promover a unidade íntima (Ef 5.31,32), permitir um profundo conhecimento mútuo (Gn 4.1), proporcionar prazer (Pv 5.15,18,19) e dar conforto (2 Sm 12.24).

Como uma mulher cristã pode demonstrar ao marido o quanto ela o ama, respeita e deseja?

Saiba qual é sua posição diante de Deus e alegre-se com sua caminhada espiritual. Esta é a chave que permite que você se entregue inteiramente ao seu marido. Saiba que você é filha de Deus e foi formada "de um modo terrível e tão maravilhoso".

Esqueça as mágoas do passado. Se você for capaz de perdoar os erros que seu marido cometeu no passado, isso fortalecerá seu relacionamento com ele e Deus. Se não o perdoar, o Senhor não a perdoará (veja Mt 6.14,15).

Não se compare com outras mulheres. Deus fez você exatamente como pensou que deveria ser. Se está se dedicando a satisfazer as necessidades de seu marido, então não tem nada a temer, pois ele a achará a mulher mais linda do mundo, se se entregar a seu amado sem inibições. Tome conta dele. Mostre que você aprecia as coisas que ele faz.

Entregue-se voluntariamente. Você só recebe aquilo que dá. Se não está se entregando inteiramente em seus momentos íntimos com seu marido, eles nunca serão a bênção que o Senhor quer que sejam. Lembre-se de que o casamento é honrado e que o leito conjugal deve ser mantido imaculado (Hb 13.4). Se Deus não tivesse criado a intimidade para o bem, a teria feito uma chatice!

Todo homem é diferente. O que agrada a seu marido? Descubra. Quando ele disser que você está bonita, procure gravar na memória o que está vestindo, como está sua maquiagem e o que está fazendo naquele momento. Alguns homens acham sexualmente excitante ver sua mulher ocupada em suas tarefas domésticas, ou até mesmo ajudá-las nisso. Saber que a esposa está cuidando dele e dos filhos é algo que agrada ao marido.

Respeite seu marido o suficiente para dar-lhe o seu melhor. Pense em agradar-lhe como se agradasse ao Senhor. Prepare seus pratos favoritos. Vista as roupas que ele gosta. Receba-o, ao fim do dia, com um sorriso, um longo abraço e um beijo demorado.

Quando reconhecemos que a intimidade é um presente de Deus, e que Ele a projetou para ser algo bom e agradável, podemos deixar de lado nossas inibições e conceitos errados. A satisfação do nosso marido será a nossa satisfação, também. Ore sobre esse assunto *antes* de se relacionar com seu cônjuge, e entregue-se totalmente a ele. Você ficará surpresa com o maravilhoso resultado!

Senhor amado, ensina-me como me entregar inteiramente ao meu marido. Tu me fizeste um ser sexuado; então, ensina-me como exercer minha sexualidade plenamente. Livra-me de minhas inibições. Mostra-me como deixar meu marido "nas nuvens".

19
Um Vôo para a Liberdade!

*E dizia Jesus: Pai, perdoa-lhes,
porque não sabem o que fazem.*
Lucas 23.34

Leitura Bíblica: Lucas 22—24

Um dia, quando estava escrevendo este livro, meu filho pegou uma borboleta monarca e soltou-a no meu escritório. Quando se tem um filho de sete anos e uma filha de cinco, nunca se sabe que tipo de criatura vai aparecer dentro de casa. Bem, a monarca esvoaçou um pouco e, depois, começou a pousar aqui e acolá. Certa noite, ela foi parar em cima da mesa do computador, perto do meu braço esquerdo. Então, estiquei a mão e consegui agarrá-la. Depois, a levei até a porta da frente e soltei-a, atirando-a para cima. Para minha surpresa, aquele bicho doido deu uma volta e entrou de novo em casa antes que eu pudesse impedir. Da última vez que a vi, estava pendurada no teto.

Às vezes, penso que somos como aquela borboleta. Deus deseja desesperadamente nos libertar de nosso passado, porém não deixamos. De fato, Ele demonstrou esse desejo de forma tão enfática, que entrou no tempo e espaço, sob forma humana, foi à cruz e entregou-se como supremo sacrifício pelos nossos pecados. Jesus Cristo não morreu na cruz somente para perdoar os nossos pecados e purificar o nosso coração, mas também para nos libertar da mágoa deixada pelos pecados que outros cometeram contra nós.

Entretanto, não podemos ser curados enquanto não nos decidirmos a trilhar a estrada do perdão. Quem você precisa perdoar? Seu cônjuge? Seus pais? Um ex-companheiro? Alguém que abusou de você?

Entregue esse sofrimento a Jesus. Ele quer pegá-la em suas mãos e conduzi-la à liberdade. Não mergulhe de novo no cativeiro da amargura. Não tenha medo de voar para a liberdade! Voe para Jesus!

Pai, estou realmente lutando para perdoar. Lembra-me de que necessito demais do teu perdão. Ó, Senhor, livra-me da amargura. Estou cansada dessa armadilha! Envolve-me em teus braços e livra-me. Dá-me o dom do teu perdão — e um espírito perdoador. Exerce o teu perdão através de mim!

20
Uma Mulher Desolada

Então, Tamar tomou cinza sobre a sua cabeça, e a roupa de muitas cores que trazia rasgou, e pôs as mãos sobre a cabeça, e foi-se andando e clamando. E Absalão, seu irmão, lhe disse: Esteve Amnom, teu irmão, contigo? Ora, pois, irmã minha, cala-te; é teu irmão. Não se angustie o teu coração por isso. Assim ficou Tamar e esteve solitária em casa de Absalão, seu irmão.

2 Samuel 13.19,20

Leitura Bíblica: 2 Samuel 13; Lucas 7.36-48

Não faz muito tempo, conversei com uma mulher que tinha sido violentada aos oito anos de idade, por um primo de 12 anos. Ela já tinha entrado na casa dos 50 e só agora estava começando a tentar superar aquele trauma. Durante a conversa, me confidenciou que, uns dois anos antes, havia finalmente quebrado o tormento do silêncio e decidido aconselhar-se com seu pastor. Em linhas gerais, ele lhe havia dito que os rapazes são assim mesmo, e que ela deveria superar isso. Outras pessoas disseram que já era tempo de seguir sua vida adiante.

O problema com essas opiniões desinformadas é que, se reprimirmos a dor da violência sexual, no momento em que decidirmos extravasá-la, ela ainda estará tão fresca e viva quanto no momento em que tudo aconteceu. O ato de reprimir a mágoa e a raiva mantém as emoções em ebulição, como se o trauma tivesse acabado de acontecer. Quando começamos a falar sobre o abuso que sofremos, é como se ele tivesse sido praticado ontem — mesmo que o evento real tenha ocorrido há mais de 50 anos.

Quando uma mulher é violentada, ela fica como Tamar — desolada. Muitas mulheres, como a que mencionei acima, passam a maior parte da vida se sentindo assim. Quando a virgindade de uma mulher é roubada, ela é forçada a entregar uma parte de sua alma. Se é esse o seu caso, não se desespere. Deus conhece a sua perda. Ele não apenas a conhece, Ele a sente — sente a sua dor. Você pode estar cheia de ressentimento, pensando: *Por que Deus* não impediu aquilo? Onde Ele estava? Eu respondo sem reservas que... o Senhor estava lá — com você. Ele sentiu a sua agonia, chorou com você, e ainda chora. Ele não a abandonou, e jamais o fará.

Não tenho resposta para todos os porquês, mais sei que, quanto mais fundo o coração é ferido, mais fundo o amor de Deus tem de ir. Deixe o amor de Deus penetrar as profundezas de sua mágoa. Não limite a sua operação. Comece o processo de cura. Ponha uma música de louvor para tocar, sente-se à vontade no sofá, feche os olhos e ouça: "Aquietai-vos e sabei que eu sou Deus" (Sl 46.10). A cura não será rápida, e custará caro. Reserve 30 minutos a uma hora por dia para apenas estar na presença do Senhor. E, enquanto estiver absorvendo a sua presença, peça-lhe para remover os efeitos da violência que você sofreu. Jesus é o divino Médico das almas. Você não precisa passar a vida inteira desolada.

Já se passaram 22 anos desde que fui violentada. A cada ano que passa, sinto que o Senhor está levando minha cura a um nível mais profundo. Ainda estou orando, e sei que o Senhor completará minha cura. De fato, sinto que o processo está prestes a acabar. Sou uma prova viva de que Deus quer curar todo aquele que *pedir e der tempo para que a cura ocorra*. Você não precisa ser prisioneira do passado. Você pode ser uma vitoriosa em Cristo — uma nova criatura, cheia do poder de Deus para ganhar o mundo, seu casamento e sua casa para o Senhor.

Seu marido precisa que você seja sua amante, e você não pode suprir plenamente essa necessidade enquanto não superar os traumas do passado. Deixe o processo de cura começar hoje.

Pai amado, estou desolada, completamente desolada. Sinto-me seca por dentro. Não há vida em mim. Sei que preciso ser uma boa esposa, mas o sexo é tão doloroso para mim. Ele só me traz péssimas lembranças. Senhor, não quero mais essas lembranças! Cura a minha mente. Cura as minhas emoções. Cura a minha alma. Remove os efeitos daquela pessoa sobre mim. Ajuda-me a dar um passo à frente e abraçar o futuro. Ajuda-me a ser uma nova criatura em Cristo Jesus.

21
A Verdade, nada mais que a Verdade

E desviarão os ouvidos da verdade, voltando às fábulas.

2 Timóteo 4.4

Leitura Bíblica: 2 Timóteo 4.1-8
Você já leu a Bíblia toda, de Gênesis a Apocalipse? Se já leu, quantas vezes? Se não leu, talvez esteja na hora de começar. A Palavra de Deus está repleta de transformadoras verdades que poucas pessoas aproveitam. Muitas vezes, o que acontece é que as pessoas pegam quatro ou cinco passagens da Bíblia e constroem seus conceitos sobre casamento, ignorando as outras partes das Escrituras. Por exemplo, é fácil pegar a famosa passagem de Efésios 5 sobre submissão e construir um sistema de regras e regulamentos para o casamento que ignora completamente conceitos chaves como Mateus 7.12: "Portanto, tudo o que vós quereis que os homens vos façam, fazei-lho também vós, porque esta é a lei e os profetas". Outra passagem que traz equilíbrio a qualquer casamento é: "E houve também entre eles contenda sobre qual deles parecia ser o maior. E ele lhes disse: Os reis dos gentios dominam sobre eles, e os que têm autoridade sobre eles são chamados benfeitores. Mas não sereis vós assim; antes, o maior entre vós seja como o menor; e quem governa, como quem serve" (Lc 22.14-26).

Alguns cristãos são facilmente enganados e levados a crer numa mentira como se fosse verdade ou meia-verdade, porque não estão se alimentando regularmente de *toda* a Palavra de Deus. Comece a ler a Bíblia sozinha — não apenas um versículo por dia, nem usando o sistema de abrir em qualquer trecho e ler. Leia e estude sua Bíblia metodicamente, e várias vezes. Em cada capítulo, pergunte a si mesma. "Deus está me mostrando aqui alguma coisa que possa fortalecer meu casamento?"

Comece com Cantares (para apimentar seu casamento, é claro), depois vá para Ester, Rute, Salmos e os quatro Evangelhos — Mateus, Marcos, Lucas e João. Lembre-se de que os casamentos verdadeiramente cristãos encaixam-se no contexto da mensagem de Cristo sobre submissão mútua e amor abnegado. Compre alguns comentários bíblicos confiáveis e consulte-os a cada verso que ler. Mas certifique-se de que os comentários levam em conta toda a Palavra de Deus. A única maneira de saber se o comentário está isolando passagens para provar um conceito predeterminado é conhecer bem sua Bíblia a fim de identificar erros ou opiniões questionáveis.

Gaste várias horas por semana estudando a Palavra de Deus! Se, para isso, você tiver de acordar às quatro da madrugada, então acorde. Se tiver de deixar de assistir a seu programa favorito na televisão, então deixe. O Deus que criou o universo lhe deu a chave para um casamento celestial. À medida que for aplicando as verdades bíblicas em sua vida, não somente irá aproximar-se mais de Deus, como logo descobrirá que seu casamento está se transformando num tórrido caso de amor!

Pai, sei que não tenho estudado a tua Palavra como deveria. Dá-me força de vontade e disciplina para começar a ler a Bíblia toda. Quando ouvir preletores ensinando a respeito do casamento, dá-me a coragem de pesquisar a tua Palavra para descobrir se estão falando toda a verdade ou só uma verdade parcial. Não permitas que eu me torne arrogante na busca da verdade. Mostra-me teus planos para o meu casamento. Mostra-me o poder da tua Palavra, à medida que a aplico em minha vida. Dá-me a coragem de não desprezar as passagens que me incomodam. Faze-me lembrar de versículos-chave que me tragam equilíbrio e me impeçam de interpretar a Escritura de uma forma que contradiga tua radical mensagem de amar incondicionalmente, negar-me a mim mesma e colocar os outros acima de mim. Obrigada por me amar e cuidar de mim.

Notas

Capítulo 1: A Rainha do Romance
[1] Extraído de uma estatística de 1999, encontrada no site do National Center for Health Statistics na Internet, National Vital Statistics, vol. 48, no. 19.
[2] Gary Smalley e John Trent, *Love Is a Decision* (Dallas: Word Publishing, 1989), p. 51.
[3] Willard F. Harley, Jr., *His Needs, Her Needs* (Grand Rapids, MI: Revell, 1986), pp. 12,13.
[4] Gary Rosberg e Barbara Rosberg, *The Five Love Needs of Men and Women* (Wheaton, IL: Tyndale House Publishers, 2000), p. 8.
[5] Harley, *His Needs, Her Needs*, p. 41.
[6] Ibid., p. 43.

Capítulo 2: Um Caminho ainda mais Excelente
[1] Lawrence O. Richards, *The Victor Bible Background Commentary: New Testament* (Colorado Springs: Victor Books, 1994), p. 484.
[2] James Dobson, *Amor Romântico* (Campinas: United Press, 2000). Trad. Carlos Oswaldo Pinto.

Capítulo 3: Liberdade e Graça
[1] Autor desconhecido.
[2] Les Parrott e Leslie Parrott, *Like a Kiss on the Lips: Meditations on Proverbs* (Grand Rapids, MI: Zondervan Publishing House, 1997), p. 40.

Capítulo 4: O Segredo do Amor
[1] H. Norman Wright, *Communication: Key to Your Marriage* (Ventura, CA: Regal, 1974), p. 24.
[2] Quest Study Bible, Marshall Shellye, et al., eds. (Grand Rapids, MI: Zondervan, 1994), p. 1687.
[3] Lawrence O. Richards, *The Victor Bible Background Commentary: New Testament* (Colorado Springs: Victor Books, 1994), p. 484.
[4] Joseph Coleson, "Gender Equality: The Biblical Imperative", *Preacher's Magazine*, March/April/May 2000, vol. 75, no. 3, pp. 4-8. O Dr. Coleson é pastor e professor do Antigo Testamento no Seminário Teológico Nazaré, em Wheaton, IL.
[5] Apud Wright, Communication, p.10.
[6] Gary Rosberg e Barbara Rosberg, *The Five Love Needs of Men and Women* (Wheaton, IL: Tyndale House Publishers, 2000), p. 8.
[7] Linda Dillow, *Creative Counterpart* (Nashville: Thomas Nelson, 1986), p. 142.
[8] Madre Teresa, *A Simple Path*, Lucinda Vardney, compil. (Nova Iorque: Ballantine, 1995), p. 99.

Capítulo 5: Comunicação e Sexo
[1] H. Norman Wright, *Communication: Key to Your Marriage* (Ventura, CA: Regal, 1974), p. 54.
[2] Gary Rosberg e Barbara Rosberg, *The Five Love Needs of Men and Women* (Wheaton, IL: Tyndale House Publishers, 2000), p. 65.

³ Pamela Lister, "10 Things Your Man Really Wants in Bed", *Redbook*, June 2001, p. 124.
⁴ Ibid.
⁵ Rosberg e Rosberg, *Five Love Needs*, p. 69.
⁶ Doug Rosenau e Catherine Rosenau, "Real-Life Soul Mates", citado em Gary Rosberg e Barbara Rosberg, *Becoming Soul Mates* (Grand Rapids, MI: Zondervan, 1995), p. 155.
⁷ Jack O. Balswick e Judith K. Balswick, *The Family: A Christian Perspective on the Contemporary Home*, 2ª. ed. (Grand Rapids, MI: Baker Book House, 1999), pp. 223,224.
⁸ Paul Hegstrom, *Angry Men and the Women Who Love Them* (Kansas City, MO: Beacon Hill Press, 1999), p. 107.
⁹ As perguntas de 1 a 7 foram extraídas de Linda Dillow, *Creative Counterpart* (Nashville: Thomas Nelson, 1986), p. 113.

Capítulo 6: O Cônjuge Controlador
¹ William L. Coleman, "Spousehold Hints... His... Hers", *Moody Monthly*, February 1973, p. 47.
² Laura Doyle, *The Surrendered Wife* (Nova York: Simon and Schuster, 2001), p. 53.
³ Ibid., pp. 47,57.
⁴ Bryan Chapell, *Each for the Other: Marriage as It's Meant to Be* (Grand Rapids, MI: Baker Book House, 1998), p. 118.
⁵ Ibid., p. 121.
⁶ Aida Besancon Spencer, *Beyond the Curse: Women Called to Ministry* (Nashville: Thomas Nelson, 1985), p. 17.
⁷ Laurie Hall, *The Cleavers Don't Live Here Anymore* (Ann Arbor, MI: Servant Publications, 2000), p. 135.
⁸ Les Parrott e Leslie Parrott, *Like a Kiss on the Lips* (Grand Rapids, MI: Zondervan, 1997), p. 40.

Capítulo 7: Sobrevivendo às Tempestades
¹ Paul Hegstrom, *Angry Men and the Women Who Love Them* (Kansas City, MO: Beacon Hill Press, 1999), p. 28.
² Gary Rosberg e Barbara Rosberg, *The Five Love Needs of Men and Women* (Wheaton, IL: Tyndale House Publishers, 2000), p. 8.

Capítulo 8: A Estrada do Perdão
¹ Madre Teresa, *A Simple Path*, Lucinda Vardney, compil. (Nova Iorque: Ballantine, 1995), p. 85.
² Os devocionais "Livre para Voar!" e "Uma Mulher Desolada", encontrados no capítulo 10, são uma ajuda poderosa para vencer os traumas deixados por abusos sexuais. O livro de David Seamands, *Cura para os Traumas Emocionais* (Belo Horizonte: Betânia, 1984), é leitura obrigatória para qualquer pessoa com um passado de abuso sexual.
³ Les Parrott e Leslie Parrott, *Like a Kiss on the Lips* (Grand Rapids, MI: Zondervan, 1997), pp. 69,70.

Capítulo 10: A Sintonia do Coração

[1] Gary Rosberg e Barbara Rosberg, *The Five Love Needs of Men and Women* (Wheaton, IL: Tyndale House Publishers, 2000), pp. 57,58.